Para o meu amigo Alberto, uma lembrança, pela ...!

[signature]

04/02/11

"FORÇA ESTRANHA"

'NELSON

"FO

EST

DEZ HISTÓRIAS

MOTTA'

RÇA

RANHA"

E UM MISTÉRIO!

SUMA
de letras

Todos os direitos desta edição reservados à
EDITORA OBJETIVA LTDA. Rua Cosme Velho, 103
Rio de Janeiro — RJ — CEP: 22241-090
Tel.: (21) 2199-7824 — Fax: (21) 2199-7825
www.objetiva.com.br

Capa e projeto gráfico
Luiz Stein Design (LSD)

Designers assistentes
João Marcelo
Fernando Grossman

Revisão
Raquel Corrêa
Héllen Dutra
Tamara Sender

Editoração eletrônica
Abreu's System Ltda.

CIP-BRASIL. CATALOGAÇÃO-NA-FONTE
SINDICATO NACIONAL DOS EDITORES DE LIVROS, RJ

M857f

Motta, Nelson
Força estranha : dez histórias e um mistério / Nelson Motta. - Rio de Janeiro : Objetiva, 2009.

151p. ISBN 978-85-60280-48-3

1. Conto brasileiro I. Título.

09-4840. CDD: 869.93
CDU: 821.134.3(81)-3

para andrea e max, com amor

obrigado, caetano, pelo *sampler* do título.

"Então voltei para casa e escrevi: É meia-noite. A chuva está batendo nas janelas. Não era meia-noite. Não estava chovendo."

(Samuel Beckett, "Molloy")

O cavalo

O abandono é uma merda. O ser humano aceita tudo — ofensas, injustiças, maldades —, menos rejeição. É isso que dói. Você sabe que ela não vale nada, que não serve para você, que vai fazer a sua infelicidade, mas mesmo assim você a quer. Pior: só porque ela não o quer mais. Todo mundo sabe: é uma estupidez, um sofrimento atroz e inútil, mas não se consegue evitar. Além de rejeitado, você se sente burro.

Era assim que eu estava quando decidi aceitar a ajuda do amigo Britinho e acompanhá-lo ao terreiro de mãe Josefa, em busca de alívio para minhas dores permanentes e intoleráveis.

Não havia remédios e nem drogas, nem bebedeiras e nem análise que dessem jeito naquilo. Durante várias sessões, repetimos os argumentos à exaustão, a inutilidade de tudo aquilo, a impossibilidade de uma volta — concordávamos que seria apenas adiar um desastre ainda maior —, mas eu saía de lá pior do que havia entrado. Ou igual, o que dá no mesmo. Desisti da análise, não apareci mais, sem aviso.

Não conseguia tirá-la da cabeça. E, vá lá, do coração e da memória. Pensava nela 24 horas por dia, havia mais de três, ou quatro, intermináveis meses. Estava possuído. Dialogava imaginariamente com ela todo o tempo, criando os cenários, as perguntas e respostas, dentro de minha cabeça. Caminhava como um zumbi pela calçada da orla, do Rio Vermelho ao Porto da Barra, vendo-a em todos aqueles corpos jovens tostando ao sol. No meu mundo de sombras, com a camiseta empapada de suor, imaginava-a ali, ao alcance de meus olhos e de minha voz. Mesmo sabendo que ela estava longe, numa praia distante, com seu novo namorado. É dura a vida de corno.

Não havia pior momento para ficar desempregado. Fui mandado embora do jornal sem motivos graves, além de atrasos habituais, desatenção ao trabalho e um certo número de faltas injustificadas. Corte de despesas, oficialmente. De certa forma, eu já esperava por isso. Mas não tão cedo, e muito menos naquele momento. Paciência. Saquei o fundo de garantia, consegui uma graninha do seguro-desemprego e arranjei uns frilas de futebol para um jornal de esportes de Portugal e para um jornalzinho de Feira de Santana.

O maior problema do meu desemprego não é a falta de dinheiro. É o excesso de tempo de que disponho para sofrer com o abandono e a rejeição. Me sinto como um doente. Como deve se sentir um viciado em heroína em síndrome de abstinência. Não sei como é, mas imagino. Uma amiga do ramo me disse que, com a heroína, você não tem vontade de nada, não pensa em nada, não quer nada — sexo, poder, amor, comida, carinho —, você não precisa de nada, se sente em um estado de vazio pleno, de conforto total. O problema começa quando a onda passa. O tombo é proporcional à altura do coqueiro. Talvez por isso, diante de vários oferecimentos, eu nunca tenha experimentado. Vai que eu gosto? Preferi não arriscar. Eu me conheço, ia gostar tanto que não conseguiria me livrar dela nunca mais. Era uma viagem sem volta: tudo que era prazer se tornaria dependência e sofrimento mil vezes multiplicados. Como um apaixonado que é abandonado.

Achei melhor parar com tudo. Menos o álcool. Maconha me deprime, acentua minha paranoia, me leva à confusão mental, a autocríticas devastadoras e a delírios persecutórios. Em vez de afastá-la de minhas lembranças, a faz mais presente e dolorida. Cocaína, nem pensar. A última coisa de que preciso agora é ficar ligado, excitado, aceso e agudo, falando sem parar, falando qualquer besteira para qualquer pessoa, ouvindo estranhos falarem compulsivamente sobre assuntos que não me interessam, quase sempre sobre eles mesmos. Porque só um assunto me interessa. Não posso imaginar pior pesadelo do que ficar acordado, rolando na cama, vendo o dia clarear na janela, pensando nela. Exausto, devastado pela tristeza, querendo desesperadamente apenas dormir. De preferência, sem sonhar. Porque ela também povoa meus sonhos, que, de uma forma ou de outra, são vividos sempre como pesadelos. Ou quando os sonho, ou quando acordo deles.

Remédios, detesto. Evito sempre, mas tentei alguns hipnóticos e antidistônicos no início, com algum sucesso. Eles me davam uma acalmada, mas eu continuava pensando nela obsessivamente, sem descanso. Fazia alguma coisa ou falava com uma pessoa, mas o pensamento estava sempre nela, como uma vida paralela. Um tormento. Não havia remédio capaz de me livrar daquilo. Os antidistônicos serviriam para se tornar mais uma dependência. Não valiam o custo-benefício.

Já o velho e bom álcool cumpre sempre a sua missão: embebeda, tonteia, torna inconsciente, apaga, obnubila. Funciona. Por isso, a sempre bem-sucedida associação entre cornos e bêbados. Beber para esquecer, velho clichê sempre confirmado. Talvez seja o único alívio possível para uma situação como a minha. Prisioneiro de uma obsessão, escravo de uma memória, vítima de meus próprios sentimentos. De meu temperamento. De minha paixão pelo excesso. De minha mente conturbada. De minha burrice.

Era assim que eu me sentia quando o Britinho tocou o interfone e desci para irmos ao terreiro de mãe Josefa. Vou lhes poupar de uma longa, ou mesmo breve, descrição do terreiro. Por melhor que seja, soará sempre como macumba para turista ou documentário terceiro-mundista mil vezes visto. Vamos direto ao que interessa.

Parece que dei sorte, porque era o dia da comemoração de um santo, de uma entidade do candomblé, então a noite seria de festa e celebração. Podia até me dar uma aliviada, pensei, a caminho do terreiro, sempre pensando nela, a cada música que tocava no rádio do táxi, a cada paisagem que passava na janela. Britinho contava uma história atrás da outra sobre as vibrações do terreiro e os poderes e feitos de mãe Josefa e de seus orixás. Eu fingia que ouvia.

Abrindo caminho entre um monte de gente que se espremia em frente à porta da casa branca, Britinho conseguiu entrar no salão de piso de cerâmica e nos levar até a corda que separava os devotos do espaço sagrado onde os orixás dançariam incorporados em seus "cavalos", as filhas de santo, chamadas de iaôs. No fundo da sala, como uma rainha africana, mãe Josefa sentava-se majestosa e obesa em um trono pintado de azul e dourado e puxava os cantos de devoção aos orixás, com o coro das filhas de santo. Ao seu lado, quatro homens repicavam os atabaques com vigor e fé.

Estavam todos de branco e descalços.

Os devotos repetiam os cantos, as filhas de santo se prostravam diante de mãe Josefa e depois deslizavam pelo salão em passos miúdos e ritmados, de olhos fechados, convocando as divindades a se incorporarem em seus corpos. A batida dos atabaques crescia, os cantos se repetiam como mantras nagôs, os fiéis cantavam juntos e acompanhavam com palmas, o salão vibrava.

De repente, uma filha de santo e logo em seguida outra se sacudiram como quem recebe um choque elétrico, fizeram caretas e esgares pavorosos, começaram a dançar de outra maneira e pareciam, não há como negar, possuídas por alguém ou alguma coisa. Tinham recebido um santo. Eram eles que dançavam dentro de seus corpos, que falavam pela sua voz, que olhavam pelos seus olhos. Se não eram eles, então quem seriam? Elas não faziam aquilo sozinhas.

Eu não acreditava em nada disso, fetiçaria barata, engana-trouxa, conversa fiada. Estava ali como quem vai a Lourdes em busca de uma cura milagrosa para uma doença do coração. E, vá lá, da mente.

Bonito, era. Também meio assustador, um pouco selvagem e primitivo demais para o meu gosto. Mas gostava da batida dos atabaques, dos cantos e das danças; cada orixá tem a sua, com seus passos, sua coreografia. Era bonito de ver e ouvir.

A batida dos atabaques e os cantos me hipnotizavam, comecei a sentir uma tonteira, tentei me apoiar no Britinho, mas fui arrebatado para o centro da roda por alguns braços e uma força estranha e desconhecida, a sala começou a girar, as lâmpadas piscavam, o ritmo dos atabaques e o volume das vozes cresciam, ondas de calor emanavam dos fiéis que lotavam o terreiro. Daí para diante não me lembro de mais nada.

Acordei em um quarto pequeno e sem forro, de paredes caiadas, com esteiras no chão e uma lâmpada nua no teto, onde eu estava deitado em uma cama estreita e baixa. Era como se voltasse de uma anestesia geral. Ou de uma prise de lança-perfume. Ao lado da cama, duas filhas de santo passavam panos umidos no meu rosto suado, meus olhos se abriam como se estivessem dormindo havia muito tempo, um cheiro forte de arruda perfumava o ar. Ou seria alfazema? Alecrim? Onde eu estava? O que teria acontecido comigo?

Meus olhos encontraram os de Britinho, acocorado ao lado da cama, ele sorriu meio desajeitado, mas fez um sinal com o polegar de que estava tudo bem, que eu estava bem, entre amigos. As filhas de santo responderam meus olhares sorrindo com doçura. Uma delas era uma lindeza de morena, com seus dentes branquíssimos e seus olhos amarelos e amendoados, se chamava Domícia. A outra, Dandara, me ofereceu um copo de água de coco.

Como um mecanismo pré-ajustado, a figura feminina deflagrou em mim um processo que levou à fusão daquele rosto com aquele outro, que não preciso nomear e que quero tanto esquecer. Será que quero mesmo?

Ali, naquele momento, pelo menos, parecia que sim. Me entregaria feliz aos tratos espirituais e corporais de uma sacerdotisa, ou das duas, porque a outra não era de se jogar fora. Ainda mais no estado em que eu me encontrava.

Tentei me levantar e o Britinho fez sinal para eu ir devagar. Me sentei na cama, não senti nada, levantei confiante. Me despedi de Domícia e Dandara com agradecimentos e beijinhos e elas nos levaram até a porta do terreiro.

No táxi, Britinho me explicou que eu tinha pegado um santo. Que dancei como as filhas de santo, que cantei com uma voz que não era a minha cantos de candomblé que não conhecia, numa língua que eu não falava. Puta que pariu, Britinho, só me faltava essa! Corno, desempregado e agora virei cavalo de santo. Me afundei no banco do carro, de volta para casa, sempre pensando nela, como em um universo paralelo.

Tomei um litro de água e dormi como uma pedra. Sem sonhos. Acordei com o sol entrando pela janela, pássaros cantando em volta da grande mangueira que chega até minha varanda. Estava com muita fome. Fiz café, esquentei leite, fritei ovos, torrei pão, espremi laranjas, me sentei à mesa como um hóspede de luxo em minha própria casa. Comi e bebi com um prazer que não experimentava desde que ela havia partido.

Só quando acabei de comer notei que, desde que acordara, quando estava fazendo o café e depois comendo e bebendo, ainda não havia pensado nela. Até que pensei. Que não estava pensando. Ela veio como uma sombra de dentro da minha cabeça, mas logo se esvaneceu, e me concentrei em lavar a frigideira, os pratos, a xícara e o copo, com toda atenção e todo cuidado para que não escorregassem, não se quebrassem e, eventualmente, me cortassem.

Era um recorde. Mais de meia hora livre daquela obsessão. Isso não acontecia havia mais de três meses. Acendi um cigarro e li o jornal inteiro, de cabo a rabo, inclusive turfe e anúncios funerários, quase duas horas com a cabeça desocupada de demônios e fantasmas, concentrado na vida real lida como se fosse ficção.

* * *

Debaixo do chuveiro, me ensaboei e me esfreguei com força com a bucha, esquentando e avermelhando a pele dos braços, pernas e peito, sob a água quente, muito quente. E depois fria, muito fria.

Saí titilando e batendo queixo, me esfreguei vigorosamente com a toalha até ficar ofegante, mas seco e bem-disposto. Meu corpo parecia rejuvenescido, me sentia com uma energia diferente, mais próxima de antes do que de ontem. Ela me vinha à memória brevemente, como uma foto antiga, num porta-retratos de prata. Estaria mesmo me livrando daquela obsessão?

E ontem, no terreiro? O que terá acontecido de verdade? Será que desmaiei? Ou tive, sei lá, um ataque epilético, uma convulsão? Faço um esforço para tentar me lembrar de alguma coisa, enquanto caminho pela calçada da orla aspirando o ar fresco da manhã. O fato é que gasto mais tempo pensando na filha de santo de olhos puxados do que "naquela pessoa". Um milagre? Minha graça terá sido atendida? Caminho com naturalidade, como qualquer pessoa que passa por mim, pensando em seu trabalho, seus problemas, suas perspectivas, seus desejos, suas necessidades, olhando a vida passar em volta e comentando-a consigo mesmo — e não pensando apenas em uma pessoa. Sou invadido por uma deliciosa sensação de liberdade. E um cheiro forte de maresia.

De volta para casa, antes mesmo de qualquer pensamento, como se obedecendo a uma outra vontade, comecei a arrumar tudo que estava fora de lugar, o que quer dizer quase tudo entre o quarto, a sala, a cozinha e o banheiro. Estranho, muito estranho. Além de óbvio como metáfora — o cara que quer arrumar sua cabeça e seus sentimentos e arruma a casa —, uma pobreza estilística na vida real. O fato é que, durante todo o tempo em que me mantive ocupado em arrumar a casa, minha cabeça esteve livre, voando entre notícias de jornal, pessoas que vi na calçada e na praia, o velho mar de Amaralina, a iaô de olhos puxados.

O telefone do Britinho não atendia. Tentei marcar uma hora no analista, mas ele só poderia me atender no fim da tarde. Escrevi minha matéria sobre a rodada do campeonato brasileiro para o *A Bola* de Lisboa e mandei, lembrando que os pagamentos estavam atrasados duas semanas. A conta no banco, zerada. A vida estava voltando ao normal.

Almocei no restaurante a quilo na esquina de casa e, mal saí do elevador e entrei, fui tomado por uma sonolência quase irresistível. Só tive tempo de tirar os sapatos e me jogar no sofá da sala. Acordei quando já estava escurecendo. Porra, será que dormi a tarde inteira?

Estava todo suado, mas me sentia bem, descansado. Tomei outro longo banho de chuveiro, me vesti todo de branco e peguei um táxi para o terreiro. O telefone do Britinho continuava não atendendo.

Mas o terreiro não era cinema nem teatro, não tinha sessão todo dia, me explicou a senhora gorda e mal-humorada que abriu a porta. Perguntei se podia falar com mãe Josefa. Tinha um problema sério e só ela poderia me ajudar. Ela quase riu na minha cara.

"E a Domícia, posso falar com ela?", insisti.

A sacerdotisa de olhos puxados apareceu por trás da velha ranzinza. "Deixe comigo, tia, que eu atendo." Abriu a porta e saiu para falar comigo.

Seu sorriso brilhava ao sol como um espelho, sob seu nariz fino e atrevido, seus olhos negros e puxados:

"Gostou, é? Quer pegar mais santo?"

Sorri meio encabulado com a desenvoltura dela:

"Não, eu queria mesmo era falar com mãe Josefa, ou com alguma pessoa, com você, saber direito o que aconteceu comigo."

Ela sorriu, divertida com minha ignorância:

"Ora, você pegou um santo e pronto. Não é tão difícil assim. Não precisa de nenhuma aptidão especial. Eu mesma recebi muitas vezes."

Domícia era uma morena jambo de 23 anos, estudante de enfermagem e sobrinha de mãe Josefa. Foi "feita" no santo aos 14 anos e está sempre presente nas festas e no trabalho do terreiro.

"Você pensa que santo é feito táxi, que você pega o primeiro que vier? É o santo que te pega, seu moço, e quando ele quer."

Eu ri, não havia outra coisa a fazer, me senti meio ridículo ali, todo de branco, como quem está prontinho para receber um santo com hora marcada.

"Queria só falar com mãe Josefa, para que ela me explicasse o que aconteceu comigo."

"E explicar o quê? Se aconteceu, aconteceu e pronto, não foi melhor assim?"

Me senti desconcertado.

"É verdade, eu estou me sentindo muito melhor e..."

"... e pronto, é isso que interessa, não é?", cortou Domícia sorridente, "e para que é que você quer saber? Para nada".

"Queria saber o que eu disse, o que eu fiz , eu não me lembro de nada", falei baixo. Ela riu.

"Nada que possa te envergonhar. Só cantou e dançou, e muito bem, com muita energia, o orixá deve ter gostado do cavalo. Dançou a noite inteira."

"Como assim? Quanto tempo eu fiquei nesse... transe?"

"Sei lá, o normal, umas duas ou três horas."

"Meu Deus, é por isso que eu estava tão cansado; com 45 anos, fumante, bebente e sedentário, dançar três horas direto, e ainda por cima carregando alguém nas costas, uma entidade que nem se sabe quanto pesa."

Ela riu e me disse:

"Volte amanhã, que tem festa de novo. Chegue cedo para pegar lugar. Estou te esperando, hein?", me deu um beijo no rosto e entrou.

"Domícia"... fiquei parado com o gesto no ar.

Fiquei zanzando pelas redondezas, tomei um lanche num boteco, discuti futebol, voltei para casa me sentindo leve e bem alimentado. Dormi como um anjo, sonhei com paisagens de minha infância, minha mãe e meu pai jovens, devo ter acordado sorrindo. Puta que pariu, que milagre!

Passei o dia muito bem, a manhã inteira na praia de Stella Maris, lendo jornal e mergulhando no mar tranquilo, procurando anúncios de empregos, telefonando para possíveis empregadores, oferecendo meus serviços para uma agência de publicidade, a vida normal de um desempregado baiano. No meu caso, mais parecia estar fazendo hora para voltar ao terreiro. E ao Oxóssi Caçador! No fim da tarde, tomei um banho e, todo de branco, parti para o terreiro. Cheguei cedo, fui um dos primeiros a entrar, consegui ficar colado à corda, próximo ao trono da ialorixá. Com a casa cheia, soaram os atabaques, Mãe Josefa entrou majestosa e se sentou no trono, cercada pelas iaôs. Atrás das cordas, os devotos acompanham os cantos com palmas ritmadas.

Por mais que eu quisesse, que me dispusesse, que me oferecesse ao santo — não só a Oxóssi, mas a qualquer um dos que dançavam incorporados nas iaôs —, nenhum me queria. Entre as iaôs, Domícia, que estava tomada pelo seu orixá e não me reconheceu. Fui apenas um espectador, o último a sair. Tentei falar com Domícia e me disseram que ela estava descansando, como mãe Josefa e todo mundo ali. Que era o que eu também deveria fazer.

Noite alta, caminhei por mais de uma hora do terreiro até a beira do mar, passando por partes desertas da cidade adormecida, sem medo nenhum, embora Salvador não seja das cidades mais seguras do hemisfério Sul. Achava que por estar saindo do terreiro, todo de branco, estaria de alguma forma protegido, como se os assaltantes baianos não se vestissem de branco nem frequentassem terreiros.

Tentei me imaginar como um iluminado, procurando respostas e soluções nas estrelas que brilhavam no céu de verão. Nada. Na beira do mar, com os pés na água e as calças arregaçadas, olhando o céu como um bobalhão, sem entender nada. Talvez o efeito da magia tivesse passado.

Passei a noite sentado na areia, olhando as estrelas até o pescoço doer, pensando em tudo da vida e da morte, menos nela. Quando o dia amanheceu, senti que estava mesmo curado. Me sentia mais seguro, até tentei me lembrar dela, como um exercício para testar minha firmeza, e nada, o que me veio foi só uma nuvem branca de olvido.

De volta para casa, encontrei vários recados do Britinho na secretária. Só então notei que meu celular estava desligado desde que entrei no terreiro. Estava muito cedo para ligar para ele. Tomei um banho, o café da manhã, e fui ler o jornal e pensar no que fazer do dia, quando o telefone tocou. Britinho estava preocupado, passara o dia trabalhando fora da cidade, sem acesso, e depois não me encontrava em nenhum lugar.

Sim, eu estava bem, muito bem, de um jeito ou de outro a coisa tinha funcionado, parecia liberto da obsessão.

"É como se você tivesse sido exorcizado", ele disse, rindo, "está pronto para outra rebordosa!".

E assegurou que "só se cura um amor com outro. Por enquanto você está convalescente, só vai estar completamente curado quando se apaixonar outra vez e...", fez uma pausa dramática, "ser corneado de novo e voltar ao terreiro", gargalhava, sórdido, o Britinho, "é o nosso destino, meu irmão".

Dediquei o dia inteiro a pesquisas acadêmicas e jornalísticas sobre os mistérios do transe, que se revelaram inúteis, embora muito interessantes. É unânime, entre religiosos e cientistas, que discordam sobre tudo, mas concordam quanto aos que entram em transe, e não só nos terreiros de candomblé: as pessoas nunca se lembram de nada. É da natureza do transe o seu olvido. A respeitadíssima mãe Stella de Oxóssi, do Ilê Axé Opô Afonjá, ialorixá considerada uma intelectual do candomblé, que dá palestras e trabalha com um laptop, é sucinta: "O transe é inexplicável."

Sob influência da psicologia europeia, estudiosos como o célebre médico e antropólogo baiano Nina Rodrigues classificavam o "estado de santo" como histeria. Seu colega psiquiatra e antropólogo famoso, Arthur Ramos, o considerava uma demonstração de esquizofrenia. A verdade é que o transe, como fenômeno psicofisiológico, é encontrado em diversos grupos culturais, que lhe atribuem significados diversos, mas a cultura ocidental, cartesiana, com a tradicional divisão entre corpo e mente, se mostra incapaz de explicá-lo racionalmente, diz a psicóloga francesa Monique Augras.

No fim da tarde, o analista ouviu meu relato da possessão com uma mistura de incredulidade e condescendência que me provocou grande irritação. Atribuiu ao tratamento psicanalítico o que chamou de desfecho natural de um processo de crescimento, me cumprimentou pelos progressos e acabou me sugerindo fazer um eletroencefalograma, só por precaução. Quase o mandei à merda, paguei contrafeito, me sentindo roubado. Não vou mais voltar a esse charlatão. O candomblé é mais confiável e dá mais resultados.

"Diga aí, Britinho, o que é que rola?"

"Tudo beleza. Vamos tomar uma cervejinha?"

"Estou aqui no Porto da Barra, no quiosque do argentino."

Várias cervejas depois, não havíamos chegado a nenhuma conclusão, mas comemorávamos o resultado final. Nem querendo eu conseguia pensar nela; era como se tivesse sido apagada de minha memória, como se nunca a tivesse conhecido.

"Pera lá, aí também é demais", protestou o Britinho, "não lembra de mais nada, nadica de nada? Depois de um ano de paixão desvairada e de meses de sofrimento obsessivo?".

"Pois é o que lhe digo, seu Britinho", eu me sentia sólido e seguro, "a gente às vezes exagera, mas o passado passou".

De volta para casa, senti um vazio diferente, incômodo. Tudo me parecia meio estranho à volta, como se nunca houvesse estado ali. Os móveis e objetos me pareciam diferentes dos que conhecia, embora a atmosfera dos 40 metros quadrados me fosse familiar. Não podia ser só a cerveja. Mal consegui chegar até a cama, desabei sem tirar os sapatos.

Acordei numa ressaca danada, a cerveja fermentada no estômago vazio fazia a cabeça latejar e provocava náuseas e tontura. Era natural. Depois do chuveiro, do café e do jornal, dei uma boa cagada e fui para a rua, bem melhor do que havia acordado.

Trotando pela calçada, pensava, então, eu era um cavalo. Beleza. Desde que não fosse para ser montado ou para puxar carroça, tudo bem. Receber um santozinho de vez em quando, dar uma dançadinha, isso não pode fazer mal a ninguém. No meu caso, muito pelo contrário. Me livrei da rebordosa amorosa num passe de mágica e me sinto outro homem, isto é, o mesmo de sempre. Só que mais misterioso.

Cabeça vazia, oficina de Satanás. Caminhando a esmo, imagino formas, jeitos e maneiras de usar a minha mediunidade, ou, digamos, "receptividade para entidades", em benefício próprio. Para, sei lá, ganhar no bicho, arranjar um emprego, saber se uma mulher está traindo o marido. Mas como, se eu não me lembro de nada do que vi, ouvi, senti ou pensei durante o transe? É, os santos não são bobos, não iriam dar uma moleza dessas para seus cavalos.

Bem que o Britinho falava, quando tentava me levar até mãe Josefa, que aquilo era um sacerdócio, que elas levavam vidas de sacrifício, dedicadas à caridade, como as freiras católicas. Só que sem pecado e sem culpa. Seus dons de clarividência não poderiam ser usados para o mal, sob pena de se voltarem contra quem o desejou. "A lei do retorno é um dos pilares do candomblé", dizia ele, "cuidado com os seus desejos: eles podem se realizar".

É verdade, eu não só desejava, como precisava muito, com urgência, me livrar daquela obsessão. Mas também não queria esquecê-la de todo, afinal, ela deve ter sido muito forte e importante em minha vida para causar tanto estrago.

Porra, é como se a minha história pessoal tivesse um buraco, um branco, um buraco negro, naquele determinado período, quase todo consumido com ela, bebendo, cheirando cocaína e fodendo. A conversa era só pretexto para beber, cheirar e foder. Uma relação bastante doentia, *por supuesto*, sendo ela uma psicóloga argentina. Mas não para ser apagada para sempre da memória. Assim, nem sequer aprendo com todos aqueles erros. Paciência. Não se pode querer tudo. Já foi um grande lucro ter me livrado daquele encosto. A superstição pode ser barata, mas a imagem é eloquente, alguém que encosta seu peso e sua frustração em você, que impede ou dificulta seus movimentos e a sua ação, que parece colado a você, como uma mochila pesada e permanente. Desta estou livre, eu acho.

Já havia algum tempo que eu queria me livrar dela. A vida devassa e transgressiva se tornava, bem, outra rotina. O mais difícil não seria passar sem aquele sexo incendiário, sem sua perversidade cúmplice, sua alma de puta; seria vê-la passar, ou mesmo imaginá-la dando aqueles prazeres para outros homens. Eu não a queria mais. Estava viciado nela, dependia dela, não a queria por vontade própria, por escolha, estava preso naquele ritual diário de nos embebedarmos, cheirarmos e fodermos até apagar na cama e acordar no dia seguinte no meio da tarde.

Que futuro teria aquilo para mim? Ela queria família e filhos. Só se eu fosse mais louco do que ela, eu pensava nos intervalos de lucidez. E, no entanto, caminhávamos para isto, estávamos procurando um apartamento para abrigar a nossa futura família. Ou eu aceitava ou era a prova definitiva de que não a amava de verdade, de que tinha medo de dividir uma casa com ela, de que não queria ter filhos com uma maluca drogada como ela. Neste caso, ela não ficaria comigo e buscaria novas parcerias — hipótese intolerável.

Só que ela devia estar um pouco apressada, e entre uma visita e outra a um apartamento para alugar, acabou reencontrando um ex-namorado e se tornou sua amante. Como era muito sincera, mesmo quando não queria, logo começou a dar pistas. Contou que o tinha reencontrado — colega de faculdade, muito inteligente, sociólogo brilhante —, voltou a falar nele algumas vezes. Até que, numa discussão comigo, me chamou pelo nome dele. Mais sincera, impossível. Caí fora, quebrando tudo, xingando-a de puta e maluca. Com o coração despedaçado, disparei pela escada sem esperar o elevador.

Voltei ao terreiro. Não para tentar pegar um santo, como um ônibus, mas para ver Domícia, falar com ela, ouvir sua voz e suas risadas, ver seus peitos morenos aflorando do decote da bata branca, os seus cabelos cacheados, ponteados por trancinhas longas e finas, que elas chamam de "tererê".

Ela não estava. Mas morava ali ao lado, como as iaôs que trabalhavam no terreiro. Uma casinha cor-de-rosa, com janelas brancas e cortininhas floridas, uma varandinha, uma rede. A sombra de uma imensa mangueira se projetava sobre toda a casa, onde ela morava com a mãe e uma irmã menor.

Quando apareceu na janela foi como se abrissem as cortinas para um filme. Toda de branco, com seu andar felino de havaianas, os olhos amarelos brilhando ao sol, se aproximou sorridente.

"Procurando alguém?"

"Já encontrei", entrei no jogo.

"Entre, quer um café? Uma água de coco?"

A sala era pequena e fresca, a brisa baiana circulava pelas janelas abertas e a mangueira protegia a casa do sol. Bebi a água de coco como se fosse um vinho sagrado, celebrando a deusa de jacarandá que ondulava seus quadris da sala para a cozinha. Epa! Às vezes a expressividade baiana me toma a linguagem de assalto, sem que eu esboçe qualquer reação. Uma questão de estilo.

Domícia colocou um CD no player. Atabaques e cantos de candomblé, gravados ao vivo. Muito bem gravados, com volume, peso e nitidez, você se sente no meio da cena.

"Foi um amigo alemão que gravou; ele trabalha para uma gravadora", comentou Domícia, "e então, alguma coisa lhe soa familiar?".

Um arrepio me percorreu do alto da cabeça aos calcanhares, deslizando pela espinha e pelas pernas como um filete de água gelada. Eu tinha certeza de que ela iria me dizer aquilo:

"Foi gravado na noite em que você pegou o santo. Uma dessas vozes é a sua", e deu um risinho.

Fechei os olhos e tentei relaxar, me deixar invadir por aqueles sons, aquelas batidas de atabaque, pelos cantos gritados com vozes esganiçadas; me senti transportado para o terreiro. E logo comecei a sentir uma tontura, me acomodei melhor na cadeira, pousei um braço sobre a mesa, respirei fundo.

"Epa, epa!", Domícia bateu palmas e desligou o CD, "aqui não é hora nem lugar de pegar santo. Você anda muito sensível, hein? Devia fazer um descarrego. Deve estar cheio de encosto".

"E como é que eu faço esse descarrego?"

"Não é você que faz, você é o descarregado, pode deixar que eu mesma faço. Tire a roupa e tome uma chuveirada ali, enquanto vou buscar água quente para o banho de ervas."

O chuveiro ficava numa casinha de chão de tijolos, no fundo do quintal, com uma privada sem tampa. Deixei a água fria escorrer pelo meu corpo, me esfreguei com um pedaço de sabão de coco que encontrei no chão. Só saí quando ouvi a voz de Domícia avisando que estava chegando. Abriu a porta, me encolhi cobrindo as partes pudendas com as mãos; ela colocou no chão um grande balde com o banho de ervas e uma cuia.

"Vire de costas", ordenou. Virei. "Abra os braços e as pernas." Abri. "Encoste as mãos na parede." Encostei. "Pense em coisas boas." Pensei. Nela. Nua.

E comecei a sentir a água morna e o cheiro forte das ervas descendo pelas minhas costas, pelas minhas pernas até os pés, deslizando pelo peito e escorrendo pelo púbis e pelas coxas. Domícia cantava e fazia preces e pedidos de limpeza e proteção para os espíritos das águas e das florestas, em nagô. Sua voz era como uma água morna e perfumada descendo pelos meus ouvidos.

Fiquei com medo de meu pau endurecer. Com mais medo ainda de que não endurecesse, na remotíssima hipótese de ela resolver dar para mim.

Domícia derramava a água sobre a minha cabeça, as ervas se grudavam no meu rosto e em todo o meu corpo.

"Agora vire." Virei.

"Feche os olhos", me ordenou. Com os braços e as pernas entreabertos, cobrindo com as mãos o pau duro e pulsante, senti a água morna e as ervas escorrendo pelo meu rosto e descendo pelo meu corpo, enquanto Domícia cantava e rezava em nagô. O som dos atabaques ia e voltava aos meus ouvidos, como se tocasse no rádio de um vizinho.

Domícia mandou que eu virasse de novo e começou a me chicotear, nas costas, bem de leve, com uns ramos de palmeira. Depois, um pouco mais forte, e também na bunda e nas pernas. Eu sentia o sangue correr mais rápido por onde os ramos passavam.

"Ah, acho que vou precisar de um descarrego desses todos os dias. Estou mesmo muito carregado", eu suspirava de prazer.

"Pronto", a voz de Domícia me acordou dos devaneios. Me estendendo uma toalha, disse: "Está descarregado. Mas não entre no chuveiro de novo, que estraga a limpeza. Só se enxugue."

E saiu da casinha fechando a porta.

Quando voltei à casa, já seco e vestido, ouvi a sua recomendação:

"Agora são sete dias sem álcool, sem drogas e sem sexo, e você está pronto para outra, tá zerado", riu com aqueles dentes fosforescentes: "Tudo tem seu preço, né? Nada sai de graça, nem graça de santo. Mas no fundo quem se beneficia é você mesmo. Uma semana de limpeza faz muito bem. Agora, se você não segurar, problema seu, o santo mesmo está pouco ligando se você bebe, fuma ou trepa ou tudo isso junto. Ele não se ofende nem dá castigo. Isto é coisa de católico e de crente. Mas se você não cumpre as obrigações com o santo, quando você pedir de novo ele não vai lhe ouvir."

"Você pode me emprestar este disco?", pedi.

Domícia me entregou o CD. "Eu trouxe mesmo para lhe dar, deve ter um significado especial para você. Quem sabe, ouvindo bastante, você consegue entender um pouco mais esse mistério?"

"Agora, licença porque tenho que ir para a faculdade", se despediu, "depois a gente se fala. Aí você me conta o que descobriu. Anote aí o meu celular".

* * *

Assim que cheguei em casa, transferi o CD para o laptop e dele para o meu i-Pod, que tem capacidade para mais de 1.500 músicas, três dias e meio de som ininterrupto. Apaguei tudo e gravei só a noite no terreiro. Agora posso levá-la ao lugar mais conveniente para ouvi-la, talvez sozinho numa praia deserta. Mas se eu passar mal, quem vai me ajudar? Talvez eu possa chamar Domícia, ela entende dessas coisas, pode me orientar. É, mas não vou me sentir à vontade com alguém por testemunha, tenho que viver esta experiência sozinho, comigo mesmo, tentando juntar memória, razão e sentimentos.

À noite, numa praia deserta, ou quase, perto de Itapoã, apenas um ou outro casal, mais entretidos em outras coisas, cheguei, todo de branco, de chinelos, e com meu iPod ritual. Diante do mar imenso e escuro, coloquei os fones, aumentei o volume e, como se tivesse vontade própria, meu corpo começou a se mexer, num arremedo de dança ao ritmo dos atabaques. Fechando os olhos eu podia me ver no terreiro, entrando na roda e dançando como os outros cavalos de Oxóssi, cantando os pontos. Tirando os fones e abrindo os olhos, só via a escuridão do mar e das pedras, a brancura da areia e o céu infinito. Me senti muito só. Mas sem medo de nada.

Coloquei de novo os fones, fechei os olhos e me deixei levar pelo som, dançando no mesmo lugar, sentindo a areia macia sob os pés, tentando repetir os cantos, num volume muito mais alto do que ouvia nos fones. Talvez por isso um dos casais tenha saído meio assustado e apressado das pedras em que se abrigavam.

Me sentia leve, como se não tivesse corpo; não pensava em nada, era como se estivesse sonhando que dormia. O ritmo dos atabaques crescia nos ouvidos, me sentia cheio de vigor e energia, com um ímpeto irresistível de dançar, dançar, dançar até cair. Logo eu, que não sei nem gosto de dançar.

Não sei quanto tempo se passou até a gravação terminar. Desabei na areia, exausto, banhado de suor, com a lua alta no céu. Só que desta vez me lembrei de muita coisa. Ou imaginei?

Era como um filme, ou um sonho, eu via a cena do alto, fora dela, cantando e dançando no terreiro, em transe, de olhos fechados, via todo o ambiente, o rosto das pessoas, Domícia, Dandara, mãe Josefa, Britinho, os ogãs tocando os atabaques, as fitas coloridas que pendiam do teto, as luzes, o chão de cimento, as imagens de orixás pintadas nas paredes, Oxóssi Caçador, de arco e flecha, cercado de animais. O som fazia minha memória ver. Ou imaginar?

Ainda estou meio confuso, mas começo a me fazer algumas perguntas que vão além da magia e das coincidências. Só alguém que já foi dominado por uma obsessão, qualquer uma, vai entender tudo que eu digo. Se bem que uma boa dor de corno é mais do que suficiente para um perfeito entendimento.

A realidade do obsessivo se passa em duas telas simultâneas: em uma, o que seria a realidade "natural", a vida real; em outra, a obsessão, que não dá um minuto de trégua, em diálogos e ações paralelas e incessantes, que não se passam nem no passado das memórias, nem no futuro dos desejos, mas no presente incômodo e irreversível.

Será que quando eu estava tomado pelo orixá as duas telas foram apagadas? Uma com certeza sim, por isso não me lembrava mais dela, em quem pensava obsessivamente quando fui possuído. Mas consigo me lembrar, estimulado pelo som, do que se passou na outra tela, a "natural", que meus olhos viram, meus ouvidos ouviram, minha boca cantou e meu corpo dançou durante o transe.

Dormi até o meio da tarde, tomei um café, uma chuveirada, e me fechei no quarto. Nu, me deitei na cama, coloquei os fones e liguei o som. Apaguei a luz e fechei os olhos. Trovoadas. Gargalhadas. Tambores, palmas e gritos. A cena da possessão se repete, no mesmo cenário, com os mesmos personagens. E mais dois, novos, que não estavam na primeira vez, ou que eu não havia notado: meu tio Zé Ventura e meu primo Venturinha, mais ou menos da minha idade, que moravam no interior e eu não via fazia uns cinco ou seis anos. Eles estavam na primeira fila dos fiéis, seguravam na corda e me olhavam, mas não pareciam me ver.

Fui até o final, possuído pela mesma sensação de leveza e de ausência de massa corporal, já sem o medo do desconhecido que quase me paralisava antes. Pelo desarrranjo dos lençóis, a dança deve ter sido animada. Desta vez, foi bastante agradável, como se dormisse, ou entrasse em uma meditação profunda. Acordei todo suado, mas não cansado; pelo contrário, me sentia com as energias renovadas e, sei lá, a imagem que me vem é dos católicos depois da comunhão quando voltam para seus lugares com um ar beatífico, de olhos baixos e com o corpo de Jesus Cristo na boca.

Meia hora depois, saindo do chuveiro, atendi o telefone: minha tia Zuleide avisava que o tio Zé Ventura e o Venturinha tinham morrido em um desastre na estrada, na noite passada. Desliguei perplexo. O que estava acontecendo comigo?

Fiz o eletroencefalograma. Tudo normal. O que não quer dizer muito: se de perto ninguém é normal, imaginem então por dentro, e pior, do cérebro. Pelo menos não estou doente, tudo está funcionando a contento, dizem os gráficos. Premonições são fenômenos corriqueiros, ainda não explicados em profundidade, mas banais, que não exigem prática nem habilidade, podem acontecer a qualquer um, a qualquer momento.

Assim que cheguei em casa, enchi a banheira de água quente, apaguei a luz e me deitei com os fones nos ouvidos. Antes de ligar o i-Pod, fechei os olhos e imaginei que o banheiro ficaria inundado se o santo se animasse muito nas danças, com o cavalo na banheira. Mas o santo não é bobo, desta vez a dança foi toda interior, nenhuma gota fora da banheira. E uma viagem muito diferente. Imagens de minha infância se misturavam às cenas do terreiro, em câmera lenta. À medida que a água foi esfriando, o ritmo dos atabaques foi diminuindo. No final, a água estava fria e eu, relaxado, sem saber se estava sonhando, delirando ou mais acordado do que nunca.

Telefonei para Domícia e disse que tinha grandes novidades. Marcamos na saída das aulas na Escola de Enfermagem.

Tomando sorvete no Jardim de Alá, lhe contei tudo com entusiasmo. Ela ouviu sem muito interesse, às vezes com uma expressão de quem ouve uma criança falar. De repente me dei conta de que ela recebe santo desde os 14 anos a sério, digamos, profissionalmente. Não pode mesmo se animar muito com relatos de amadores e cavalos de primeira viagem.

"Mas, e a premonição?", murmurei.

Domícia deu uma lambida lúbrica no sorvete de morango:

"Bobagem, você não previu a morte deles, só recebeu a informação de que eles estavam mortos antes de sua tia ligar. Alguém te ligou sem fio. Telepatia, no máximo. Você não tem nenhum poder sobre os fatos. Pode relaxar."

Ela sorria de uma maneira perturbadora:

"Quanto mais se mete a esperto, mais bobo você parece."

"E então?", tentei mudar o tom da conversa, "tem recebido muito santo?".

Ela escancarou aquele riso luminoso:

"Deve ter sido mesmo assustador você ser pego sem aviso, sem querer. Mesmo quando você quer muito, quando se prepara para isso, já é muito forte."

"Foi mesmo. Mas com você, isso mudou alguma coisa na sua vida?"

"Mudou nada. Já estava destinada. Foi só confirmação, sabe como é? Já estava escolhida pelo santo, para servir a ele, antes de nascer."

"Mas eu digo, depois que começou a receber santo, mudou?"

"Que nada, a gente só faz o que tem que ser feito; é seguir as ordens do orixá. Deve mudar é para os outros do terreiro, o santo fica contente de dançar para eles. E a gente está no mundo para fazer o santo feliz, e aí ele faz a gente feliz. Simples, não é?"

Mais para desconcertante, pensei, nem tanto pelo que ela dizia, mas como dizia, sua expressão ambígua, entre a ingenuidade e a ironia. Aquela morena era mesmo estonteante.

Um jovem negro alto e simpático, todo vestido de branco, se aproximou. Deu um beijo no rosto de Domícia. Ela retribuiu e o apresentou:

"Esse é o Jorge, é ogã lá no terreiro, toca atabaque. Nós já estamos indo. Obrigada pelo sorvete."

Jorge me cumprimentou com um sorriso e um movimento de cabeça e saiu com Domícia rua abaixo, aos risos e beijinhos, ela enlaçando a cintura dele.

Voltei para casa chutando latas pela rua, se houvesse latas para chutar. Competir por Domícia com aquele efebo de ébano estava fora de cogitações. Peguei um ônibus quase vazio e durante todo o percurso até minha casa fui pensando em Domícia, imaginando-a nua, com seu sorriso luminoso, se oferecendo ao seu jovem príncipe negro, Domícia se... epa! Era só o que me faltava: começar outra paixão, agora por Domícia. Se continuasse assim, logo estaria de volta ao terreiro para receber mais um santo e me curar de novo, cumprindo a profecia do Britinho.

Os sentidos da vida

Tudo começou com uma simples gripe, forte, mas apenas mais uma gripe. Era natural que, além da febre e da tosse, a congestão nasal comprometesse o meu olfato. Tomei as pílulas antigripais, fui para a cama e logo os sintomas começaram a regredir. Comecei a respirar melhor, aos poucos o olfato foi voltando e logo eu estava bom.

Não por muito tempo. Na semana seguinte, o feroz inverno nova-iorquino fez mais uma vítima, durante uma chuva que me deixou encharcado e à mercê do vento gélido e cortante que varre as esquinas da cidade. O termômetro do Citibank marcava amenos 3 graus, mas, em compensação, a temperatura do vento chegava aos 14 graus negativos.

Dos primeiros espirros à febre e aos calafrios não se passou muito tempo. Logo o nariz, além de entupido, começava a escorrer. Tomei o antigripal, me enfiei debaixo dos cobertores e avisei que não iria trabalhar no dia seguinte.

Em dois dias a gripe passou. Mas o olfato não voltou. De nada serviram os sprays e as gotas descongestionantes. Nem os antialérgicos. Não havia nada congestionado, nem qualquer sintoma de alergia. Apenas não sentia nenhum cheiro.

Ah, isso passa, me disse o médico, me disseram os amigos, eu disse a mim mesmo. Mas não passava. Já curado da gripe, a função olfativa havia se restaurado, digamos, em uns dez por cento. Sentia alguns odores fortes, como o charuto do gordão ao lado e o perfume vagabundo da lourinha que passava, mas como se fossem fracos e longínquos. Mas nem isso durou. Uma semana depois, eu estava cego do nariz.

Não sentia cheiro de nada. Nem de amônia, nem de queimado, nem de merda. Não sentia nem o cheiro do gás aberto no fogão. Além de desagradável, poderia ser muito perigoso, letal como um escapamento de gás. Ou um alimento podre.

Comecei a peregrinação aos médicos. Primeiro, com otorrinos high-tech, com aparelhos e doutores de última geração, e preços também, e cheguei a uma alergista indiana. E depois a uma homeopata alemã que me prescreveu vários pós e aguinhas, sem qualquer resultado. Nas mãos de um otorrino obtuso, me submeti até a dolorosas — e inúteis — injeções de cortisona na parte de dentro do nariz. Rezei e implorei na minha fé, em todas elas. Se houvesse um terreiro de macumba em Manhattan, ou mesmo em Nova Jersey, eu tentaria.

Fatalista, eu pensava que como algo muito ruim tinha mesmo que me acontecer, Deus havia sido bom comigo. Como sou músico, perder o olfato é menos grave do que perder a audição: surdo e desempregado eu perderia meu maior prazer e meu pão de cada dia. Na miséria, o olfato me serviria apenas para sentir o aroma do que eu não poderia comer. O cheiro da fome.

O mundo sem olfato era cheio de perigos. Mas tinha algumas vantagens para alguém de paladar bastante restritivo e cheio de idiossincrasias, como eu: tenho pavor de alho, detesto brócolis e abobrinha, não como peixes, moluscos ou crustáceos, nem carne de aves, de caça e de nenhum bicho que não seja vaca. E mesmo assim, ou disfarçada por uma capa à milanesa, ou então muito bem passada, torrada, negra, sem qualquer vestígio de sangue, ou de carne. Morro de fome mas não como coentro, dendê, molho pardo, sarapatel, tucupi, buchada, pratos regionais exóticos de ingredientes duvidosos. Gosto mesmo de massas, doces e sorvetes.

Com a cegueira nasal, meus problemas à mesa, que já me provocaram muito constrangimento no passado, acabaram: comia de tudo, com o mesmo prazer. O mesmo com que comeria uma fatia de isopor. Fiquei reduzido ao paladar, que, como sentido, deixa muito a desejar; é apenas um complemento do olfato. Sem ele, o gosto reduz-se a doce e salgado, azedo e amargo. O resto é textura.

Passei a comer de tudo, sem o menor entusiasmo, mas de tudo. Poderia fechar os olhos e escolher a esmo em qualquer cardápio. Continuei comendo minhas pizzas e macarronadas, tentando me lembrar daqueles aromas amados, mas a memória olfativa é mais precária do que a afetiva. Restaram-me os doces, com seus cremes, camadas de açúcar, geleias, crostas caramelizadas, massas folhadas que farfalham entre os dentes, agradando mais à audição do que ao paladar. Como a baguete saindo do forno, que proporcionava o contraste entre a casca torradinha e o miolo macio e ainda crocava deliciosamente no ouvido.

Meu bem-amado café expresso, meus capuccinos, se reduziram a uma tinta escura e grossa, com o amargor quebrado pelas gotas de adoçante. Serviam apenas para dar vontade de fumar. O cheiro do primeiro cigarro do dia, depois do café da manhã, era um passado remoto.

Durante alguns meses busquei informações sobre a doença e seus possíveis tratamentos. Mas os resultados eram desanimadores. Sabia apenas que a perda do olfato se chamava anosmia e podia ter diversas causas, entre elas a radioterapia intensiva em tratamentos de câncer ou em acidentes de automóvel, quando se seccionam as fibras dos nervos que contêm os receptores do olfato. Nenhuma delas era o meu caso.

Até do cheiro de minhas camisas suadas, de meus peidos, de minha merda, eu tinha saudades. Logo me resignei e me adaptei à vida sem olfato, mas ainda com um resto de sabor: tudo mais em mim continuava funcionando bem. Porém não poderia mais dizer que alguém não fede nem cheira.

Depois de três anos eu estava completamente adaptado, nem me lembrava do tempo em que sentia cheiros. A memória olfativa só existe enquanto o sentido está ativo. Não me lembrava nem dos cheiros de minha infância, de cavalo, de leite de vaca tirado na hora, de tangerina no pé, de abacaxis apodrecendo no lixo. O cheiro da terra molhada logo depois da chuva. Da grama recém-cortada e recendendo a clorofila. De maresia.

E o cheiro de sexo? Essa era uma das minhas perdas mais doloridas — não podia mais sentir nos dedos o aroma íntimo e úmido da mulher amada. E os perfumes das mulheres, até mesmo os doces, enjoativos, azedos, vagabundos, teria que viver sem eles.

Cheguei a pensar em contratar um "guia de olfato", como os de cegos, para me conduzir pelos cheiros da cidade. Sempre ao meu lado, ele, ou melhor, ela, iria me informando: "Café torrando na máquina da lanchonete à direita. Senhora gorducha entrando no metrô com forte cê-cê. Motorista paquistanês do táxi está há dias sem banho." E, caso fosse necessário, me advertiria, baixinho e com respeito:

"Talvez o seu desodorante esteja vencido. Você está com um leve bafo, aceita um chiclete? Acho melhor você recolocar o tênis. E mandar lavá-lo logo. Você pisou em um cocô de gato ou está com algum problema intestinal?"

É dura a vida de um sem-olfato, embora mais tolerável do que sem visão ou audição. Eu me consolava vendo televisão e comendo jujubas, que poderiam ser de abacaxi, uva ou framboesa. Sem olfato, todas as jujubas eram vermelhas.

Tudo ia muito bem, ou melhor, muito mal, quando encontrei uma amiga que não via fazia tempos. Ela estava saindo de uma sessão de terapia nas vizinhanças e me recomendou os serviços de um fabuloso acupunturista e herbalista chinês, um sábio. Desde que começara a fazer uma sessão semanal, Letícia nunca mais havia ficado doente. Ele a ajudara a parar de fumar e a perder peso. Curara minha amiga de uma dolorosíssima hérnia de disco. Chamava-se dr. Chan e atendia em um consultório ali perto, no Village, em cima do restaurante Silver Lake. Era conhecido como mestre Chan.

Humm... acupunturista e herbalista chinês, chamado de mestre, no Village, era um pouco alternativo demais para meu gosto. Antevi a cortina de bambu, o biombo de papel, o cheiro de incenso, o Buda de bronze, o grande poster com o corpo humano e os pontos de acupuntura, aquelas breguices chinesas de papel pintado. Da cozinha do restaurante subiria o cheiro enjoativo de tempuras e frituras, de gordura e temperos fortes... epa! Quanto a cheiros desagradáveis e enjoativos eu não tinha nada a temer. Às vezes me lembrava do meu olfato como quem ainda sente dor na perna amputada.

Nada contra, até gosto de acupuntura. Fiz muitas vezes quando morava no México, para problemas musculares, com bons resultados. Frequentava a clínica do professor Yoshiaki, um acupunturista japonês que atendia alguns artistas e diretores da gravadora onde eu trabalhava, numa casinha colorida no Largo de Coyhoacan.

Logo me veio à cabeça *Simplesmente Alice*, o filme de Woody Allen em que Mia Farrow, uma tímida dona de casa, começa a se tratar com o acupunturista e herbalista chinês e acaba tomando três poções mágicas: a primeira a transforma em uma vampe sedutora e voraz. A segunda traz de volta o espírito de seu falecido marido, que a leva para um sobrevoo romântico em Manhattan iluminada. E a última a torna invisível, testemunhando uma traição do marido e ouvindo o que as amigas falam dela. Perguntei a Letícia se o consultório do mestre Chan era tão cenográfico como o do filme, esses ambientes orientais tão comuns na cidade, que, mesmo quando autênticos, sempre parecem *fake* como Chinatown.

"Meu problema não é com a acupuntura, é com a ambientação", brinquei com ela.

Ela riu, sacudindo a cabeça como quem nega ou confirma. Minha amiga era uma paulista séria, dona de uma boa galeria de arte no Soho, uma mulher inteligente, que me parecia muito saudável e equilibrada.

Para o mestre Chan, ela disse, não existiam doenças, apenas energias paradas. As agulhas desobstruem os pontos bloqueados nos canais de circulação, as energias voltam a irrigar o corpo e o próprio organismo se cura. Simples assim.

"Se você não gostar, pode deixar na minha conta que eu pago", desafiou Letícia, me oferecendo um cartão de consulta do dr. Chiang Chan.

Alguns dias depois eu acordava paralisado de dor. Do ouvido ao tornozelo, com pontos agudos na lombar e no meio da bunda, descendo como uma linha de fogo ao longo de todo o nervo ciático. Dores tão fortes que exigiram um esforço enorme apenas para me arrastar para fora da cama. E estender o braço para telefonar para o dr. Chan.

A mensagem da secretária eletrônica era bastante enigmática e pouco animadora:

"Aqui é o consultório do dr. Chan. Por favor deixe sua mensagem. E não fique nervoso: você não está solto no ar."

Por sorte, ou altos desígnios, a agenda abarrotada do mestre abriria um horário no fim da tarde, como me informou uma voz doce de mulher falando inglês com um delicioso sotaque chinês. Passei o dia deitado, quase imóvel, me enchendo de analgésicos e relaxantes musculares que tinham o poder de um balde d'água em um incêndio da floresta.

Cheguei ao dr. Chan de táxi e levei quase cinco minutos, pé ante pé, para atravessar o pequeno hall e entrar no elevador. Me sentei na saleta de espera com muita dificuldade e imaginei a tortura que seria tirar os sapatos, como pedia o aviso na parede. Não havia ninguém na mesinha da recepcionista.

Mas a agonia durou pouco. Logo fui resgatado por um simpático chinês de uns 30 e poucos anos, de olhos vivos e cabelos negros bem curtinhos, que me deu boa-tarde, me ajudou a tirar os sapatos e me amparou até a sala de consultas. E depois me pediu que tirasse a roupa, ficasse só de cueca, e me deitasse na cama alta. Se apresentou, com uma leve curvatura da cabeça e do tronco:

"Chiang Chan. Em que posso servi-lo?"

Um mestre tão jovem não me inspirava lá muita confiança. Começamos a trocar perguntas. Logo depois de responder a minha idade, perguntei a dele:

"Cinquenta e dois. Nascido no ano do dragão."

Mas, porra, parecia no máximo 35. O homem era formado em medicina tradicional chinesa na Universidade de Pequim. Fizera mestrado em acupuntura, daí o Master Chan. Recém-formado, emigrara com os pais e dois irmãos para os Estados Unidos, no início dos anos 70, fugindo da revolução cultural maoista que, entre 1966 e 1976, mandou muitos cientistas, inclusive seu tio, para reeducação em plantações de arroz ou fábricas de geladeiras.

Ao contrário do acupunturista do filme de Woody Allen, o dr. Chan não fumava como uma chaminé. Nem o consultório recendia a incenso, isto é, se recendia, na minha condição olfativa, é difícil de afirmar, mas posso dizer que não havia nenhum incenso aceso à vista. Nem biombos ou divisórias de papel. Não havia nada além de uma cama alta com um lençol branco, uma cadeira e um pequeno aparelho de som numa mesinha. Nenhuma decoração. Paredes nuas. Chão branco de fórmica. Uma cortina negra vedando a janela. Uma única luminária, fraca, no centro do teto. Puro zen urbano. É verdade que na saleta de espera havia o clássico poster do corpo humano. E ainda um outro, só com as dezenas de pontos de acupuntura em uma orelha gigante. A mesa da recepcionista tinha um laptop, uma máquina de cartão de crédito e um panda de louça.

"Isso não é nada. Você vai ficar bom logo", ele dava risadinhas de chinês de filme americano e me virava de bruços, com cuidado e firmeza.

Começou a me contar uma história dos tempos da revolução cultural, quando médicos foram enviados para trabalhar como pedreiros na construção civil, enquanto epidemias se alastravam por toda a China e as pessoas morriam como moscas. E sacudia a cabeça dando risinhos de Fu Manchu.

Ia falando e cravejando minhas costas de agulhas douradas, longas e finíssimas, sem que eu sentisse nada além de uma picadinha de mosquito. Uma agulha atrás da outra, com grande rapidez, percorrendo as minhas costas ao longo da coluna vertebral e descendo pelas coxas e panturrilhas, falando sem parar. Posso imaginá-lo enfiando as agulhas em minhas costas sem procurar pelos pontos exatos e sem escolher muito onde cravá-las, como se fosse um trajeto rotineiro para suas mãos de cirurgião, com tal segurança e precisão de movimentos que dava a impressão de que poderia fazê-lo até com os olhos fechados.

"Os pontos de acupuntura são muitos", ele explicava com seu sotaque carregado, trocando o R pelo L e vice-versa, sem parar de me enfiar agulhas, "mas exigem muita precisão". Um pouquinho para cá ou para lá do ponto exato pode levar a agulha a atingir uma enervação ou um pequeno vaso sanguíneo, provocando muita dor e desconforto ao paciente.

Desinfetadas e descartáveis, as agulhas podem fazer tanto o bem quanto o mal, quando entram na carne frações de milímetros além do que deveriam. E são sentidas como agulhadas. Só doem e não curam nada, o mestre ria, em sua mão as agulhas voavam.

Colocou uma sinfonia de Mahler no CD player, bem baixinho, apagou a luz fraquinha, e saiu, me deixando sozinho com minhas dores e esperanças. De olhos fechados, apenas aspirando profundamente pelo nariz e depois expirando lentamente, procurando não pensar em nada, conforme as suas instruções.

Uma hora depois ele voltou e me encontrou em um estado de agradável torpor, me sentindo bastante confortável. Com velocidade ainda maior, foi retirando as agulhas do meu corpo e esfregando um algodãozinho com álcool nas picadas. A dor amenizara bastante, mas o mestre recomendou que eu me levantasse e caminhasse bem devagar, estava convalescendo, mas logo estaria bom.

Me deu um saquinho de ervas, mandou fazer um chá e tomar ao longo do dia:

"São cem dólares, por favor. Volte amanhã para continuar o tratamento", e pediu que eu marcasse uma hora com a recepcionista.

"Minha noiva, muito bonita", e soltou sua risadinha de Fu Manchu, "pode pagar com cartão de crédito".

A noiva do mestre era mesmo um colosso de mulher. Estava à altura dele. Mas quando se levantou, vi que deveria ser bem mais alta do que ele. Paguei com cartão de crédito e me estiquei para tentar ver alguma coisa no seu decote, mas só vislumbrei o início de dois peitos redondos e pequenos, atrás do vestido de tecido leve e claro.

Assinei o recibo, ela encaminhou a paciente que aguardava para a sala do dr. Chan e saiu junto comigo, fechando a porta. Estava muito calor, ia para a natação, me disse simpática e sorridente, com seu sotaque delicioso, enquanto esperávamos o elevador.

Devia ter uns 30 anos, no máximo. Ou talvez 13, com esses chineses nunca se sabe. Mas com certeza era linda. Sua pele tinha o tom do marfim novo, que apenas começa a amarelecer. O contraste com os cabelos negros, grossos e lisos, presos em coque com dois pauzinhos coloridos, era como as teclas de um velho piano. Uma bela dama de Shangai em Manhattan, trabalhando como recepcionista em um consultório e nadando todos os dias em uma academia próxima de casa. Era uma das explicações para a boa forma do corpo longilíneo, com as pernas compridas e levemente arqueadas. Assim como as mãos, os pés nas sandálias tinham dedos finos e delicados e unhas pintadas de rosa. Na esquina, fomos cada um para um lado, entre sorrisos e votos de melhoras.

Enquanto conversava com ela, havia até me esquecido das dores que ainda me fustigavam as costas, mas pelo menos eu podia me locomover sem que meu lombo ameaçasse explodir. Chamei um táxi e embarquei para casa.

Voltei no dia seguinte, no mesmo horário, e ela estava lá, de cabelos molhados, como uma seda negra brilhante escorrendo pelos ombros. Vinha da piscina. O calor estava tão forte que ela havia antecipado a natação.

"Quando ficar bom, você devia fazer umas sessões", recomendou, "natação é um ótimo exercício para a musculatura das costas e das pernas".

O dr. Chan se apresentou na porta e me convocou para a sala branca com um sorriso que, talvez já por um tiquinho de culpa, senti como meio melífluo, como se fosse uma advertência sutil.

Na sala, ele só perguntou como eu estava. Deitado na cama, respondi que as dores estavam passando, que havia dormido e atravessado o dia muito bem. E estava muito grato a ele.

Risinhos de Fu Manchu. Agulhas na mão.

"Vire de bruços."

Antes que ele começasse a me agulhar, contei (era mentira) que tinha revisto *Alice* na televisão e me lembrado dele.

Risinhos de Fu Manchu:

"Muito bom filme. Mr. Allen é muito talentoso. Faz as pessoas rirem."

"É claro que ninguém acredita naquelas histórias de poções mágicas, mas os poderes da acupuntura poderiam ter sido mais explorados no filme."

"Mr. Allen exagera um pouco, né?", o mestre sorriu e fez uma pequena pausa. "Mas para efeito de comicidade é bom. Ele já se tratou comigo durante um período. Problemas de coluna. Mr. Allen, homem de muitos problemas, muito ansioso."

Que bom, agora já posso me dizer colega do Woody Allen. Pelo menos de acupunturista. E de ansiedade:

“Por exemplo: eu li que pacientes podem ser completamente anestesiados para cirurgias altamente invasivas só com a aplicação de agulhas. Mas será que com uma, ou algumas agulhas, nos lugares certos, é possível... matar uma pessoa?”

Risinhos de Fu Manchu.

“Sem deixar vestígios. Pode parecer que sofreu um ataque cardíaco. Ou uma embolia pulmonar. Ou um acidente vascular. Tudo isso pode ser provocado com as agulhas nos lugares certos. Ou errados”, mais um risinho chinês.

“Mas ervas também podem matar. E por que você quer saber isso? Um músico que quer escrever um romance policial? O crime perfeito?”, e espetou a primeira agulha. Senti um arrepio.

Mulheres tão bonitas não deveriam ter noivos acupunturistas. E armados.

Saí da sessão me sentindo novo, com uma disposição que não tinha antes da crise ciática. Combinei de marcarmos uma sessão semanal, só para a manutenção do equilíbrio. Era melhor prevenir doenças do que remediá-las ou curá-las, ele disse, e me perguntei por que qualquer obviedade na boca de um oriental logo adquire ares de filosofia.

“Passe bem. Doença não existe. É só energia parada”, ele repetiu seu mantra, me levando até a saleta de espera, onde a bela Chai Ling me esperava com a máquina do cartão de crédito e o panda de louça. E um sorriso estonteante.

Na semana seguinte, voltei ao consultório, mas ela não estava. Dr. Chan abriu a porta sorridente, como se adivinhando meus pensamentos. Ou percebendo minha frustração:

“Chai Ling foi passar férias na China, com família, volta no fim do verão. Vamos entrar?”

Até o fim do verão, as sessões de sucederam semanalmente e eu me sentia cada vez melhor. Melhor ainda com as primeiras folhas do outono, quando cheguei ao consultório e encontrei Chai Ling atrás da mesinha, com sua máquina de cartão de crédito e seu panda de louça. E suas pernas! E seus braços, suas mãos e seus pés! Seu rosto de máscara de porcelana.

Estava com os cabelos mais curtos, com uma franja e um corte Chanel que lhe davam um ar mais moderno e elegante. E, surpresa, no rosto muito claro afloravam seus lábios carnudos com um batom rosado que os fazia parecer úmidos, e, talvez pelos dentes grandes e alvíssimos, jamais se fechavam completamente, pareciam sempre entreabertos.

Na saída, depois que paguei a conta, ela abriu com cuidado uma gaveta, olhou para a porta da sala do dr. Chan, para o cliente que esperava, e colocou rapidamente na minha mão um pequeníssimo panda de pelúcia. E fechou minha mão com as suas.

"Trouxe da China para você. Traz boa sorte."

Falou baixo. Talvez para que o cliente na cadeira não ouvisse. A porta da sala se abriu, saudei o dr. Chan com a cabeça e saí. Desta vez tive certeza de que o sorrisinho era melífluo.

Duas semanas depois, a mesma combinação de chuva e vento, que dera início ao meu calvário olfativo, me pegou de novo em mais uma gripe, a primeira do outono.

Tomei os antigripais de costume e fui para o consultório do dr. Chan para a minha sessão semanal. Cumprimentei Chai Ling e entrei direto: o mestre me esperava com a porta da sala aberta, como sempre, sorridente. Pode ser só impressão, ou culpa, mas senti alguma ironia no sorriso dele.

Quando ouviu minha voz rouca e fanha e minhas queixas da gripe, ele perguntou se eu estava mudando de voz, como os adolescentes, e soltou seus risinhos de Fu Manchu, que nunca me soaram tão ameaçadores. E eu sabia bem por quê.

Deitado de costas, olhando para a lâmpada fraca do teto, vi a sua mão golpear repetidas vezes a minha testa, meu rosto, o alto de minha cabeça, deixando cravadas diversas agulhas nas minhas orelhas, no meu nariz, entre meus olhos, nos seios da face, em toda a área congestionada. Depois distribuiu o resto ao longo do meu corpo, com movimentos rápidos e precisos, em lugares mais ou menos habituais:

eram meus pontos fracos, ele dizia, que precisavam ser estimulados. Mal imaginava, ou será que desconfiava, que o meu fraco era a sua noiva? Que era ela que me estimulava.

Quando o dr. Chan voltou à sala e acendeu a luz, me espreguicei na cama, respirei fundo e... senti um cheirinho de álcool, nos algodões que ele usava para desinfetar as picadas das agulhas. E também, muito distante, o cheiro de detergente do lençol. Eu estava sentindo alguns cheiros!

Nos últimos anos, conformado com meu destino, eu havia aceitado completamente a perda do olfato. Havia tentado de tudo, e o melhor era procurar esquecer, como se eu houvesse nascido assim, continuando a viver a vida sem cheiros. Era um caso perdido, estava completamente resignado e adaptado. E tanto, que nunca havia comentado com o dr. Chan sobre os meus problemas olfativos. Gaguejando emocionado, fiz um relato atropelado do meu drama, eu estava me sentindo como um cego que começa a rever a luz. Ou recomeça a ver a luz. Sua resposta foi uma risadinha de Fu Manchu:

"Isto é muito fácil de curar. Em três sessões você vai ficar bom", ele prometeu, "marque com Chai Ling".

Parecia uma provocação. Ou um duplo sentido. Ou uma advertência.

Depois de mais duas sessões, não com Chai Ling, mas com o seu noivo, que me aplicou agulhas nos seios da face e no nariz, eu estava curado. Cruzei o Village aspirando fundo o cheiro das pizzas que saíam do forno, das máquinas de café que despejavam expressos fumegantes nas xícaras, o delicioso aroma de fumaça, fuligem, óleo e gasolina que saía dos carros que passavam, das gorduras que derramavam dos kebabs ao fogo. Com os olhos rasos d'água, como um cego que, sim, voltava a ver, aspirei fundo a fumaça do meu cigarro, saboreando-a na boca e soltando-a pelo nariz, senti o aroma doce de um baseado que um negão fumava pedalando uma bicicleta. Quase desmaiei de emoção na banca de flores do coreano. Subi a Quinta Avenida e entrei na Sephora, um imenso supermercado de cosméticos, e experimentei tantos óleos, cremes e perfumes, que me arrisquei a uma overdose olfativa. A vida voltava a ter sabor.

Estava me sentindo um novo homem, ou pelo menos o mesmo de sempre, mas completo. E vida entrava pelas narinas.

A pretexto de iniciar sessões de natação para fortalecer os músculos das costas e prevenir novas crises ciáticas, eu havia pedido a Chai Ling que me acompanhasse à academia, já que ela a frequentava havia algum tempo, conhecia os professores.

"Ótimo. Eu estou mesmo com vontade de nadar, me dá uma incrível sensação de liberdade. Mesmo em uma piscina", ela sorriu com seus dentes grandes, os caninos levemente tortos, que lhe davam ainda mais charme. Exalava um suave perfume de jasmim.

"Amanhã às quatro da tarde, na academia", me despedi.

Quando ela sorria com aquela boca rosada cheia de dentes e promessas, fazendo covinhas nas bochechas, seus olhos se apertavam tanto que pareciam fechados.

"Vejo você lá."

É difícil manter a compostura ao relatar o impacto que me causou ver Chai Ling na piscina da academia, com um maiô de natação inteiro e colante, vermelho sangue com listras finas em amarelo-ouro, as cores da China. O tecido molhado era leve e elástico o suficiente para revelar um esboço de seus pequenos peitos. A água da piscina era aquecida, mas um vento frio entrava pelos janelões e passeava pelo deque, ondulando a água e eriçando os mamilos de chinesas lindas e proibidas.

Ao som de música clássica, nadamos lado a lado, mais de uma hora, com pequenas interrupções para que eu recuperasse o fôlego e visse o sorriso molhado dela, que parecia se divertir com a minha falta de prática e habilidade na natação. E quem disse que eu estava ali para nadar?

O melhor veio depois, tomando sucos naturais no café orgânico da academia, quando ela me disse que, dentro de duas semanas, o dr. Chan iria viajar para o Canadá, para fazer palestras e atender pacientes. E ela gostaria muito de conhecer as montanhas Catskills, a cerca de hora e meia de Nova York. Mas não tinha companhia.

Eu poderia pular sobre a mesa e agarrá-la, beijá-la e penetrá-la ali, na frente de todas aquelas pessoas, tal a excitação que me tomava. Mas a acupuntura estava equilibrando meu organismo, eu estava aprendendo a ser paciente, a aceitar minhas limitações e as da vida em sociedade.

Depois do banho, ela saiu do vestiário com um vestido leve e de cabelos molhados, mais brilhantes do que nunca. Mal saimos da academia, fomos surpreendidos por uma chuva forte. Por sorte, eu estava com uma capa, que foi suficiente para nos abrigar ao longo das poucas quadras que separavam a academia do consultório. Quase abraçados sob a capa, o perfume de pele fresca e de jasmim de Chai Ling me entontecia.

Quando estávamos quase chegando, um carro passou veloz, tocando rap em alto volume, quase subindo na calçada, e nos deu um banho de água suja acumulada na sarjeta. E pior, ou melhor, quando nos afastamos, abraçados sob a capa, tentando evitar o banho de lama, nossos lábios se roçaram, e ela apenas sorriu.

Rindo muito e com as roupas encharcadas, chegamos ao prédio do consultório. Aproveitei os últimos momentos em que o seu corpo se mostrava inteiro, muito mais do que com o maiô vermelho, coberto apenas pela malha fina e molhada do vestido que se colava à sua pele e realçava todas as suas curvas e reentrâncias.

Trocamos alguns e-mails discretos durante a semana. Mandei-lhe umas fotos das Montanhas Catskills, sugestões de pequenas pousadas e chalés, lugares românticos para conhecer, cafés charmosos, lareiras crepitantes.

Na semana seguinte, o dr. Chan foi para o Canadá. E Chai Ling foi para os Catskills, sozinha.

Espremido entre a gratidão e o medo, nem um canalha nelson-rodrigueano, desses que não respeitam nem a cunhada, poderia ser tão escroto.

Bola na rede

"*Ustedes saben lo que es Ego?*", perguntou o jovem Tarso Bueno à mesa cheia de jornalistas, na noite gelada de Mar Del Plata, às vésperas da Copa do Mundo de 1978. Ele mesmo respondeu, em perfeito portunhol:

"*Es un argentino chiquitito que vive dentro de cada uno de nosotros*", e todos nós, até os argentinos, estouramos em gargalhadas.

Éramos um grupo de jornalistas de vários lugares do mundo, quase todos latino-americanos, comendo carne e esvaziando garrafas de vinho, tentando gastar o tempo que ainda faltava para a bola rolar em Buenos Aires, Mendoza, Rosário, Cordoba e Mar Del Plata. A Copa, na verdade, era o motivo, a paixão e a profissão de todos que estavam ali, torcedores fanáticos disfarçados de jornalistas isentos e imparciais. E profundos conhecedores do futebol, de seus grandes craques e times históricos, que não se cansavam de recordar. No frio e na umidade do inverno de Mar Del Plata, com carne e vinho fartos e baratos, as línguas estavam soltas e os corações quentes e ansiosos pelas batalhas.

Tarso Bueno tinha 20 anos e era uma das grandes revelações do jornalismo esportivo gaúcho, integrando a equipe do *Correio do Povo* de Porto Alegre em sua primeira cobertura de Copa do Mundo.

Gremista fanático, dizia-se admirador do futebol duro e feio, mas eficiente e vitorioso, debochava do futebol arte como "coisa de veados", divertia todos à sua volta com seus causos, apesar de tão pouca idade, que demonstravam não só a sua precocidade, mas a sua grande capacidade inventiva, sem fronteiras muito nítidas entre fantasia e realidade. Acusado de alguma mentira, se ofendia:

"É uma figura de retórica, seu babaca, é só uma versão turbinada da verdade."

Ficava ainda mais puto quando era confundido, pelos cabelos longos e amor à maconha, com os hippies que tanto desprezava. Fã de Bob Dylan, se considerava uma expressão tardia da *beat generation*, na linhagem de Jack Kerouac, William Burroughs e Allen Ginsberg, sempre na estrada, doidão, reescrevendo a vida.

Era impossível negar, Tarso era mesmo um belo rapaz. Alto e magrelo, com longos cabelos lisos e escuros emoldurando seu rosto de traços finos e viris, um nariz atrevido, uma boca carnuda e sensual e dois olhos pretos vivíssimos. Além de sua natural simpatia, seu visual facilitava muito as coisas, mais ainda com as mulheres. E, eventualmente, com os gays. Mas também abria portas entre os homens, como os jogadores da seleção brasileira.

Simpático e falastrão, especialista em elogiar e encher a bola dos seus entrevistados para encorajá-los a falar, Tarso era muito querido entre os jogadores, mais ainda pelos gaúchos, que o privilegiavam com boas informações sobre os bastidores da Vila Marista, onde a seleção se concentrava, e que ele transformava em cenários de suspeitas, conspirações e manchetes de crises no comando da Seleção.

Sua tática inquiridora não era nova no mundo do futebol, mas turbinada:

"Fulano, você não acha que o meio de campo ganha mais solidez com o Chicão do que com o Cerezo?"

Resposta: acho, ou não acho. Manchete de Tarso no dia seguinte: "Fulano exige Chicão (ou Cerezo) no meio-campo da Seleção."

Como a maioria dos jornalistas brasileiros, ele se considerava muito mais capacitado do que o técnico Cláudio Coutinho para escalar o time ideal. A única diferença é que uns, como ele, escalavam para vencer, enquanto outros, para dar show de bola e, se possível, vencer.

A velha rivalidade Brasil x Argentina estava mais acesa do que nunca. Comandados por Coutinho, um ex-capitão do exército, formado em educação física e que começava uma carreira brilhante como técnico de futebol, e pelo ex-jogador César Luis Menotti, o carismático "*El Flaco*", os dois times eram fortes candidatos a suceder a Alemanha como os novos campeões do mundo. Com os voos superlotados, milhares de brasileiros haviam cruzado as fronteiras de carro, de ônibus e até a pé, para apoiar a nossa seleção no inverno portenho.

A primeira fase, em Mar Del Plata, foi desastrosa para o Brasil, que jogou mal e se classificou a duras penas, atrás da Áustria. Em suas reportagens, mais opinativas do que muitas colunas de especialistas, Tarso culpava o gramado, além dos dirigentes, poupando os jogadores. Na verdade, o tapete verde que eles tinham preparado durante meses para ser palco da Copa do Mundo havia, literalmente, afundado. Chuvas fortes encharcaram tanto o gramado novo e frágil que, a cada chute, escorregão ou bola dividida, grandes nacos de grama voavam. Em pouco tempo o gramado impecável estava esburacado como um campo de polo. Os jogadores escorregavam e tropeçavam, as bolas não chegavam, se desviavam nos buracos, o nível técnico foi baixíssimo. Claro, os maiores prejudicados foram as melhores equipes e os jogadores mais habilidosos; o gramado pantanoso nivelava por baixo os times do grupo: Espanha, Suécia, Áustria e Brasil.

Era incontestável que o relvado se mostrara inadequado para a prática do violento esporte bretão, repetiam os locutores de rádio e os jornalistas; os jogadores reclamavam. Para Tarso Bueno, os argentinos haviam encharcado o gramado de propósito, num plano para prejudicar o Brasil e tirá-lo da disputa, como havia apurado com suas fontes secretas. Um de seus informantes, um argentino de identidade não revelada, ligado aos serviços de informação, resolvera denunciar a conspiração porque queria ganhar do Brasil na cancha de jogo pois no cambalacho não teria graça nem valor. A Argentina não precisava de truques sujos para ganhar, porque tinha o melhor time e o melhor técnico. E a torcida mais apaixonada do mundo.

Além da ditadura mais sangrenta do continente. Enquanto os militares brasileiros iniciavam uma distensão lenta e gradual com o general Geisel, a Argentina vivia o fundo do poço do terror sob a Junta do draculesco general Videla e dos não menos sinistros almirante Massera e brigadeiro Agosti. No Brasil, estimava-se em cerca de quinhentos os mortos e desaparecidos na guerra revolucionária, enquanto na Argentina, com uma população cinco vezes menor, dizia-se que o número macabro chegava a 30 mil pessoas. A coisa estava feia ao sul do Trópico de Capricórnio. Todos se sentiam ameaçados pelos guerrilheiros e terroristas, ou pela polícia e as Forças Armadas.

No Brasil, nem tanto. Ou pelo menos já fora pior, a censura e repressão pareciam abrandar, o medo diminuía, as esperanças de liberdade aumentavam, a anistia aos presos políticos começava a ser discutida.

Para os hermanos, um dilema atroz. A Copa do Mundo era uma audaciosa — e caríssima — jogada da ditadura militar para tentar melhorar a imagem da Argentina no exterior — e para dar pão, circo e glória ao povo pressionado pelo custo de vida, desviando as atenções da repressão brutal, das torturas e dos assassinatos que não chegavam à imprensa censurada. Mas afetavam profundamente a vida de milhões de argentinos que tinham parentes e amigos, colegas e conhecidos, presos, mortos ou desaparecidos. E tinham muito medo. E raiva. Mas como torcer contra a gloriosa seleção de futebol, orgulho e paixão nacional?

Era uma situação semelhante, mas agravada por ser em solo pátrio, à que as esquerdas brasileiras viveram em 1970, quando a posição política era torcer contra a seleção porque seria a vitória da ditadura, que serviria para anestesiar o povo e fortalecer os militares. Mas como torcer contra Pelé, Tostão, Jairzinho, Rivelino e seus companheiros nas jornadas gloriosas nos campos mexicanos? Ainda não nasceu ideologia capaz de sufocar a paixão de um brasileiro, ou de um argentino, por futebol.

Tarso logo arranjou uma namorada em Mar Del Plata. Loura de farmácia, pele alva, olhos claros, bem cafona, mas muito gostosa, Blanquita dizia ter 28 anos, mas aparentava mais. Estava com um casal amigo na mesa ao lado, numa véspera de jogo, quando Tarso dava seu showzinho em portunhol e divertia a imprensa esportiva continental.

Foi ela quem tomou a iniciativa de falar com ele, quando se levantou para ir ao banheiro. Aquela história do Ego ser um argentino pequenininho foi muito divertida; adorava a irreverência dos brasileiros, os argentinos eram muito formais. Trocaram algumas palavras e telefones e o resto é história.

O que Tarso não sabia era que Blanquita não se chamava Blanquita nem Blanca, mas Gladys, e trabalhava como oficial do temido Side (Serviços de Informações do Estado), em missão de infiltração e vigilância de subversivos argentinos, e eventualmente estrangeiros, entre os milhares de jornalistas presentes, para prevenir qualquer tentativa de usar o Mundial para ações terroristas. Todo o aparato repressivo argentino estava de orelhas em pé, dia e noite. Enquanto a bola rolava nos gramados e o povo vibrava diante das televisões, milhares de argentinos eram torturados e mortos nos porões da ditadura.

Nos intervalos das intensas atividades esportivas e conspiratórias de Tarso, os encontros com Blanquita eram sempre agradáveis e divertidos. Ela era advogada, dizia, e um pouco careta para o gosto dele — demorou dois encontros para transar, e mesmo assim só de camisinha, não fumava maconha ou tomava LSD como ele, só bebia vinho. Mas fumava como uma chaminé. Embora meio tensa e inibida para os padrões de Tarso, Blanquita tinha um bom corpo e se desempenhava a contento na cama — era uma reprimida em processo de desrepressão, como confidenciara ao colega Bernardão, de um jornal carioca, outro personagem popular nas rodas jornalísticas de Mar Del Plata.

"Se precisar de ajuda...", Bernardão provocava com um risinho sórdido. Grande, peludo e desengonçado como um urso, quarentão malandro e experiente, assim como Tarso, era dotado do dom da simpatia, e daí a identificação e a amizade instantânea entre os dois. Formado na malandragem da Zona Norte carioca, Bernardão fizera a sua carreira como repórter de polícia e havia pouco tempo se mudara para a editoria de esportes, sua paixão.

Blanquita não gostava de falar sobre política, mas era muito curiosa para saber como iam as coisas no Brasil. E não poderia encontrar um informante mais otimista e menos confiável do que Tarso, que considerava a abertura irreversível e antevia para breve a anistia, a volta dos exilados, a liberação dos partidos políticos e "em um ano, no máximo", eleições livres. Tudo que estava fora dos horizontes argentinos. Blanquita não dizia nada, só prestava atenção e duvidava.

Nem foi preciso perguntar, Tarso elencou, com orgulho, todos os opositores da ditadura que estavam entre os jornalistas brasileiros. Eram maioria absoluta, alguns até ex-militantes políticos, outros mais oportunistas viviam em torno e puxavam o saco dos milicos que dominavam a Confederação Brasileira de Futebol e o comando da Seleção.

Aparentemente as atividades de Blanquita com Tarso eram somente amadoras. Como profissional, ela não perderia seu tempo com um tipo como aquele. E nunca foi nem jamais iria para a cama com um homem em troca de informações, não estava em suas atribuições, nem seu patriotismo chegava a tanto. Era apenas uma forma de se manter próxima de grupos que lhe cabia vigiar, unindo o útero ao agradável. Ficara sinceramente seduzida pelo charme dele, era uma companhia deliciosa, ajudava a quebrar a sua rigidez, não oferecia qualquer perigo. A não ser um certo apego que estava nascendo no seu coração duro, mas que terminaria com o final da Copa.

Com Tarso, Blanquita frequentava as rodas de jornalistas nos bares e restaurantes e era obrigada a ouvir, além de desafios no futebol, as piores acusações e ofensas contra o governo a que servia. Se fossem prender todos que falavam mal da Junta Militar, a Copa do Mundo ficaria sem cobertura, imaginava, realista. Cumpriria as determinações da chefia e apresentaria seus relatórios. Sem maiores esperanças. Depois de duas semanas de convívio, não havia qualquer indício de atividades suspeitas entre eles. Simpatias esquerdistas, sim, sempre, mas nada além de bravatas movidas a vinho, nenhum plano de protestos públicos ou de alguma ação para criar um escândalo e desmoralizar a Argentina diante do mundo, o maior temor da Junta Militar.

Como Blanquita morava com os pais — a mãe era doente crônica —, Tarso só conseguia se encontrar intimamente com ela graças à generosidade de Damião, fotógrafo e seu colega de jornal, com quem dividia o quarto do pequeno hotel San Lorenzo, na calle Constituición. Damião ficava cochilando na poltrona do quarto de Bernardão e Zé Maria enquanto Tarso e Blanquita namoravam, e só voltava quando o telefone tocava, devolvendo-lhe a cama.

Blanquita não gostava muito de fotógrafos, mas Damião era um quarentão discretíssimo, casado, morria de saudade da mulher e dos filhos, e de medo de perder o emprego. Era inocente e inofensivo. Só fotografava jogadores ou cartolas que Tarso apontava.

Mas a loura gostava de fotografia. Havia tirado muitas com sua pequena e eficiente Pentax, em noites alegres com grupos de jornalistas nos bares e restaurantes de Mar Del Plata. Estavam todas identificadas e arquivadas no Side.

No hotel San Lorenzo, depois de uma noite de amor, enquanto Blanquita tomava banho, Tarso, em busca de um isqueiro, revirou sua bolsa de couro e encontrou várias fotos de grupos com os nomes escritos no verso, inclusive o dele. Mexeu mais e encontrou, dentro de uma carteira de couro, uma pequena identificação da Divisão de Informações do Ministério do Interior, em nome de Gladys Torres com a foto de Blanquita de cabelos escuros. E um revólver calibre 22. Tarso ficou gelado. Quando Blanquita saiu do banho, com seu corpão mal cabendo na toalha, apesar do sorriso e dos olhos brilhando, já não era mais a mesma pessoa para Tarso.

Começou a repassar mentalmente tudo que falara sobre milicos, tiras e dedos-duros, mas concluiu que não havia nada que pudesse complicar sua vida. A não ser a maconha, que trouxera do Brasil e fumava sozinho todos os dias, economizando avaramente e tomando todos os cuidados nas cidades ultrapoliciadas. Os maconheiros brasileiros estavam a pão e água, a carne e vinho.

"Então você precisa se livrar dela urgentemente", aconselhou Bernardão quando Tarso lhe confidenciou, no banheiro do bar, depois de meia garrafa de vinho, que estava dividindo a cama com uma cana, uma espiã. Afinal, era o Tarso, né? Bernardão o aceitava como ele era, não perdia muito tempo com suas histórias, o bicho devia estar paranoico de tanta maconha, imagine, uma espiã, e para espionar o quê? Um bando de homens bebendo e falando de mulher e de futebol dia e noite? Caso Tarso liberasse Blanquita, Bernardão seria o primeiro da fila. As policiais e espiãs também querem amor e carinho. E ele estava pronto para oferecer.

Ao fim de duas semanas em Mar Del Plata, Blanquita estava cada vez mais apegada a Tarso, que, ao contrário, queria se livrar dela o mais rápido possível, tinha até perdido o tesão. Não todo, é claro, porque Blanquita estava cada vez mais solta e gostosa, mas pelo menos uma boa parte. Quando o tesão encontra o medo, as coisas se complicam.

Se ficar com ela era perigoso, mais perigoso seria abandoná-la. Os infernos não conhecem fúria maior do que a da mulher rejeitada, todo mundo sabia disso, até Tarso. Fumando um baseado escondido, trancado no banheiro do quarto, se tranquilizava pensando que a Copa do Mundo terminaria, o Brasil seria campeão, e ele voltaria para Porto Alegre e teria muitas histórias para contar, turbinadas, naturalmente.

Depois do empate do Brasil com a Espanha, coitada, roubada pelo juiz, desencantado com a Seleção, Tarso foi a Buenos Aires para ver a Argentina jogar contra a Itália, as duas já classificadas para a fase seguinte. Não só porque eram dois favoritos ao título, mas pela oportunidade para conhecer Buenos Aires. Sem Blanquita.

Achou a cidade linda e elegante, as árvores nuas nos parques sob o vento do inverno, gostou da imponência do Estádio Monumental de Nuñez, emocionou-se com a torcida argentina cantando e empurrando o time o tempo todo. O jogo foi chato e amarrado, com a Argentina e a Itália já classificadas. Um opaco 1 x 0 para a Itália no final.

Foi para o hotelzinho El Libertador, na calle Esmeralda, tomou um banho e saiu para a noite. Aceitando o convite de seu amigo argentino Martin, foi encontrá-lo no La Brigada, em San Telmo, onde comeu uma carne muito melhor do que a melhor de Porto Alegre, teve que admitir. Depois, Martin o deixou em um bar de tangos tradicional em Palermo, onde se sentou numa banqueta em frente ao balcão e pediu um Pernod, ouvindo um veterano crooner acompanhado por um pequeno grupo musical que tocava tangos clássicos.

Uno, *Mano a Mano*, *Cambalache*, *Por una Cabeza*, *Sur*, *El Dia en que me Quieras*, Tarso conhecia todas, desde criança, eram as músicas queridas de sua mãe. As canções e os copos de Pernod se sucediam, na banqueta ao lado de Tarso, em frente ao balcão, uma argentina, morena, de uns 40 anos, tomava vinho e o olhava sorridente. E começava a fazer pequenos comentários sobre a música e o ambiente. Era muito simpática, pena que fosse tão feia, pensava Tarso, bebendo mais um Pernod, se sentindo como Rimbaud e Baudelaire bebendo absinto.

Vários Pernods depois, Tarso já achava a argentina bem passável, até comível, e além disso, apesar das roupas de inverno, parecia ter um bom corpo, e, sem dúvida, uma ótima conversa. Arquiteta, mas também professora de filosofia, Irene tinha um papo envolvente, contava de forma simples e divertida complexas teorias filosóficas, comentava com humor ácido a situação argentina, era safada e autoirônica. Tarso estava encantado, como ficam as menininhas diante de professores sedutores. Nunca estivera tão próximo de uma mulher tão feia. Nem tão fascinado. Irene era nariguda, com um cabelo maltratado de corte indefinido, uma boca pequena de lábios finos, e olhos escuros e tristes. Tarso lembrava de Bernardão louvando os poderes das feiosas: "Não há mulher melhor na cama do que a feia. Elas capricham para compensar a feiura, querem agradar, valorizam você. As bonitas só se preocupam com elas, você é que tem que mostrar serviço."

A noite acabou no apartamento de Irene, os dois bêbados e felizes. E Tarso ficou sabendo que, além de uma ótima foda, confirmando as teses de Bernardão, Irene era uma militante sindical, que também já havia sido presa, e tinha um irmão que passara três anos na cadeia, onde havia sido torturado sem piedade. Havia sido solto há pouco e estava morando com ela, vagando como um zumbi pelo apartamento, ouvindo vozes, tendo pesadelos, sem ousar sair de casa.

Quando Tarso acordou, Irene já havia saído para trabalhar e deixara um bilhete carinhoso na cozinha avisando que tinha café e leite nas garrafas térmicas.

Malandra essa Irene, pensou Tarso, saiu fora antes de se mostrar de cara limpa e cabelos desgrenhados de manhã. Seria um susto. Mas assim ela me deixa com a lembrança de ontem à noite, quando as luzes estavam baixas e as taxas de álcool no sangue elevadas. Pô, saí de uma policial e caí numa subversiva, cada uma no seu estilo, refletia passando manteiga no pão.

Pegou um táxi para o Aeroparque e um voo sacolejante da Austral para Mar Del Plata. Assistiu ao Brasil ganhar de 1 x 0 da modesta Áustria e classificar-se para a segunda fase, e à noite estava no bar El Tiburón para comemorar com Blanquita e sua máquina fotográfica. No dia seguinte partiria para Mendoza de avião, seguindo a Seleção Brasileira, que disputaria com Peru, Polônia e Argentina uma das vagas na grande final. Holanda, Itália, Áustria e Alemanha disputariam a outra em Buenos Aires.

Na manhã seguinte, Tarso ficou um pouco cabreiro quando Blanquita veio toda sorridente e saltitante contar que teria férias no escritório — estava tudo parado com a Copa do Mundo —, e ela poderia ficar duas semanas na casa de uma amiga em Mendoza, onde Tarso dividiria um quarto com Damião no hotel Puerta del Sol. Ele queria que ela fosse, não? Claro, claro, Tarso sorria e lhe dava uns beijinhos desajeitados. Blanquita iria de carro, com amigos. Num camburão, *por supuesto*, pensou, mas não disse Tarso.

Mendoza era uma cidadezinha adorável no sopé dos Andes, cercada de montanhas nevadas, com ótimos queijos e vinhos e uma gente muito simpática e acolhedora. E belas mulheres. Tarso lamentou a iminente chegada de Blanquita ao conhecer a estudante Patrícia Garcia, de 20 anos, uma loura deslumbrante, recepcionista do Centro de Imprensa de Mendoza. Depois de um café e uma saraivada de galanteios de Tarso, a belíssima Patti concordou em jantar com ele. Saía do trabalho às vinte horas e conhecia ótimos restaurantes; nascera e fora criada em Mendoza, o pai era um médico conceituado na cidade.

"Quantas horas se leva de Buenos Aires até aqui de carro?", perguntou Tarso como quem não quer nada, querendo tudo.

"Umas nove, ou dez, até Córdoba, e de lá mais umas cinco até Mendoza, uma viagem muito cansativa, a subida das montanhas é perigosa", advertiu Patti.

"Então o nosso jantar está marcado, oito e meia te busco em casa", Tarso estava animado, mas cauteloso:

"É melhor não nos verem juntos aqui no Centro de Imprensa, isto é um ninho de víboras, cheio de fofoqueiros invejosos e despeitados, pode até te prejudicar. Eles não vão se conformar em me ver com a gata mais bonita da cidade."

Patti riu, mandou um beijinho com a ponta dos dedos e voltou ao trabalho.

Blanquita chegou exausta, não de camburão mas num sinistro Ford Falcon de placa fria, dirigido por um agente do Ministério do Interior. Assim que entrou no apartamento que abrigava quatro agentes em Mendoza, dois homens em um quarto e Blanquita e uma colega no outro, começou a telefonar para o hotel Puerta del Sol à procura de Tarso Bueno, mas só encontrava a voz sonolenta do fotógrafo Damião, pedia desculpas e desligava. À meia-noite e meia ligou mais uma vez, em vão, provocando um resmungo de Damião.

Bernardão tinha razão, as policiais e espiãs também amam. E pior, algumas se apaixonam, ficam loucas como nas letras de tango, perseguem, dão golpes baixos, matam por seu homem, se entregam de corpo e alma aos boleros da vida real. Tarso ainda não desconfiava, mas Bernardão o advertia que esse parecia ser o caso de Blanquita.

"A loura está louca por você. Olha lá, hein? Olho vivo e faro fino. Esta mulher é uma chave de cadeia, literalmente, como você mesmo disse. Mulher apaixonada é espeto."

Enquanto Blanquita ligava, Tarso jantava com Patti no restaurante El Mercurio. Conversavam, e derrubaram uma tábua de queijos, uma peça de *lomo* e uma garrafa de vinho. Duas horas depois já estavam aos cochichos, risinhos e beijinhos nas orelhas. Tinham que tomar cuidado, advertia Patti, trançando sua perna na dele por debaixo da mesa — a cidade era pequena, todo mundo a conhecia. Depois ela o levaria a um lugar lindo, onde poderiam ver as estrelas, protegidos pela noite e pela solidão das montanhas geladas.

Quando Tarso e Patti, encostados em uma árvore, olhando o céu cravejado de estrelas, começaram a se beijar, Blanquita dava o seu último telefonema para o hotel Puerta del Sol. E o seu primeiro para os colegas da polícia de Mendoza, passando a descrição de Tarso. Meia hora depois já sabia que ele havia saído do hotel por volta de 20h30 e chegado ao restaurante El Mercurio por volta de 20h45 acompanhado de uma jovem loura de aparentes 20 anos. Jantaram e saíram no carro dela para rumo ignorado. Até uma e meia da madrugada ele não havia voltado ao hotel; manteriam um homem lá e continuariam a busca em bares. Blanquita pediu que fosse comunicada imediatamente da chegada dele ao hotel, era um subversivo brasileiro com contatos na Argentina, que estava sob vigilância do Side.

Às duas da madrugada, feliz e excitado, Tarso voltava ao hotel, ainda com o gosto de Patti na boca, o cheiro dos seus seios, de suas coxas e de seu sexo nas suas mãos. Pena que, no banco de trás do carro, ela não o deixara ir até o fim, talvez porque ainda fosse virgem, mas era um vulcão prestes a entrar em erupção. Saberia esperar a hora, seria paciente, e cuidadoso, para não despertar suspeitas em Blanquita, o que não seria difícil: estaria sempre trabalhando na concentração brasileira ou no Centro de Imprensa.

Tarso apenas entrara no quarto quando o telefone começou a tocar. Damião acordou resmungando: "Porra, essa mulher já te ligou cem vezes."

"Aonde estavas, cariño? Estava preocupada, ninguém sabia de você", a voz de Blanquita estava mais tensa do que nunca, "você sabe, as ruas estão perigosas, com esses terroristas. Não queria dormir sem te dar um beijinho".

A coisa estava feia. A policial durona, agente da repressão, estava com o coração derretendo como *dulce de leche*. E incendiada de ciúme e paixão, como uma Carmen portenha. Aquela loura ia dar trabalho, bem que Bernardão avisara.

Mesmo cheio de vinho e embriagado de tesão por Patti, Tarso não teve dificuldade em concluir que não era pura coincidência que Blanquita houvesse ligado assim que ele chegara. Devia ter um informante, vários, eles estavam em todos os hotéis, uma rede de motoristas de táxi e garçons espalhados por toda a cidade, que lhes contavam tudo. Com certeza ela já sabia que ele havia saído com Patti, deveria saber até o que eles haviam comido e bebido, só não deve estar ciente, ainda, do que aconteceu nas montanhas geladas depois, porque não havia ninguém por perto. A estas alturas ela pode estar forjando um flagrante de subversão para prender Patti, pensou, e talvez até a família dela.

Era muito fácil prender pessoas na Argentina da ditadura militar. Com o aparelho repressivo fora de controle, não era raro que pretextos políticos fossem usados para vinganças pessoais ou roubos, inclusive da mulher, ou do homem, alheios. Agora é que ele não poderia nem pensar em abandoná-la. Achou melhor passar no Centro de Imprensa e avisar Patti que não poderia sair à noite, havia muito trabalho a fazer. E precisava falar urgentemente com Bernardão.

Depois de uma garrafa de vinho, concluíram que o melhor, para a própria segurança de Tarso, era avisar aos jornalistas amigos que Blanquita era... uma agente secreta da repressão. Tarso estava vingando os perseguidos, comendo a ditadura argentina, era um herói da liberdade. Era pouco provável que alguém acreditasse. Mas se ele sumisse, já sabiam onde procurar.

O Brasil ganhou fácil do Peru por 3x0 e pela primeira vez jogou bem, enquanto a Argentina vencia a Polônia apertado, por 2x0. Na rodada seguinte a terra iria tremer em Rosário, no estádio Gigante de Arroyito, onde Brasil e Argentina se enfrentariam em jogo de vida ou morte: só um deles chegaria à grande final contra o vencedor do grupo de Buenos Aires.

A maioria absoluta dos jornalistas brasileiros acantonados em Mendoza preferiu assistir à magna pugna pela televisão, tomando vinho e comendo queijo, sem coragem para enfrentar um voo da Austral e, pior, a fanática e feroz torcida argentina no estádio e nas ruas de Rosário. Para Tarso era a oportunidade para um alívio da pressão de Blanquita, que tentou dissuadi-lo, ameaçou ir, mas acabou ficando em Mendoza, “rezando por ele”.

Iria mesmo precisar. Depois de um voo apavorante, com o avião sacudindo e balançando da decolagem ao pouso em Rosário, Tarso, Bernardão e alguns poucos heróis desembarcaram sob frio e chuva e dividiram dois quartos no hotel Callao, a poucas quadras de onde se hospedava a Seleção Brasileira. Foi um grande erro. Não dos jornalistas, mas dos cartolas brasileiros, que escolheram um grande hotel no centro da cidade. Uma multidão de torcedores argentinos cercou o prédio e passou a noite gritando, buzinando, tocando cornetas, batendo bumbos, chamando os brasileiros de macaquitos, de negritos, fazendo uma barulheira infernal que não deixava ninguém dormir.

> *"Vamos, vamos Argentina,*
> *vamos, vamos a ganar,*
> *que esta barra quilombera,*
> *no te deja, no te deja de alentar."*

Não adiantou a hinchada cantar e gritar do início ao fim da partida. No Gigante de Arroyito superlotado, explodindo de paixão, a anunciada "final antecipada" da Copa do Mundo foi pífia e sem vencedores. Mais do que ganhar, os dois times não queriam, não podiam perder. Tarso viu um jogo nervoso, defensivo, feio, congestionado no meio de campo, com pouquíssimas oportunidades de gol, terminando em um frustrante, e aliviante, 0x0. O vencedor do grupo e finalista da Copa seria o que vencesse seu próximo adversário por maior diferença de gols. E brasileiros e argentinos estavam certos de vencer Polônia e Peru, respectivamente.

De volta a Mendoza e aos braços, às pernas, aos tentáculos e às ventosas de Blanquita, Tarso estava confiante na vitória do Brasil, e por goleada. Bernardão, nem tanto, temia por um cambalacho: a Argentina enfrentaria o Peru em Rosário já sabendo do resultado de Brasil x Polônia, em Mendoza, que seria jogado mais cedo, às 17 horas.

"*Me engaña que me gusta*", rosnava Bernardão, na mesa do bar Continental, "a essas alturas o time do Peru já está recebendo suas malas de dinheiro. O goleiro do Peru, logo o goleiro, Quiroga, é um argentino naturalizado. E os milicos argentinos já devem estar negociando com os generais peruanos, que são todos corruptos. Para a ditadura ganhar a Copa é questão de vida ou morte, não tem preço, eles vão fazer o que tiver que ser feito".

Blanquita ficava muda, com um sorriso congelado. Bernardão tinha prazer em torturá-la. Tarso se deliciava. Novos problemas começaram quando ele recebeu, no hotel, um recado de que Irene havia telefonado e ligou de volta. Ela estava com saudades, lembrava da noite deliciosa, perguntava se Tarso iria para a final em Buenos Aires, se quisesse podia ficar na casa dela. Havia até conseguido uma maconhazinha para eles fumarem.

Informada do teor da conversa pela telefonista do hotel, com o número do telefone de Irene em Buenos Aires, Blanquita fez algumas consultas com seus colegas da capital federal e pouco depois já sabia das atividades subversivas e das prisões de Irene e de seu irmão. Essa gente gosta de brincar com fogo, Blanquita pensava e rangia os dentes, merece levar um susto. E se pendurava no pescoço de Tarso, cobrindo-o de beijinhos, na cama do hotel Puerta Del Sol, enquanto Damião roncava na poltrona do quarto de Bernardão.

Mais tarde, no café do Centro de Imprensa, Patti estava preocupada, ele havia sumido. Trabalho, viagens, problemas, Tarso se desculpava. Cochichou para que ele tomasse cuidado; havia sido seguida por um Ford Falcon, andaram fazendo perguntas sobre ela na faculdade — uma amiga da secretaria lhe contara. A víbora, o polvo, o abutre, pensou Tarso. Não poderia enfrentá-la, isso só criaria problemas para Patti. Puto da vida, foi encontrar Bernardão no bar La Peña para traçar uma estratégia de sobrevivência, de liberdade e, se possível, de vingança.

"Sua sorte é ter 20 anos e pau para comer essa vaca, mesmo sabendo de tudo", Bernardão sacaneava, "se você precisar de ajuda, eu posso fazer o sacrifício".

No fim da noite, depois de duas garrafas de vinho, tinham um plano de ação, achavam eles.

Na véspera dos jogos decisivos, depois de comer Blanquita sem grande esforço — ela estava cada vez mais entregue, ávida e solta — e aproveitando que ela estava no banheiro, Tarso fez mais uma vistoria na sua bolsa e viu que o revólver continuava lá.

Saíram para jantar e, depois de muita carne e vinho, Tarso disse, meio brincando, que talvez fosse precisar de uma advogada depois do jogo Brasil x Polônia. Pediu segredo e contou em voz baixa que um grupo de jornalistas franceses, italianos, americanos, ingleses, brasileiros, mexicanos, ia levar para o estádio uma grande faixa, dividida em dez partes, e cada um levaria uma, e a estenderiam na tribuna de imprensa, diante das câmeras de televisão do mundo inteiro:

FUERA LA DITADURA. VIVA LA LIBERTAD.

Blanquita achou que era uma loucura, *una tontería*, tentou dissuadi-lo de todas as formas, seria preso, poderiam bater nele, sumir com ele. E nem ela nem nenhum advogado poderiam ajudá-lo. Blanquita sabia do que falava. Tarso voltou para o hotel sozinho.

Depois de uma noite em claro, com sua colega agente roncando na cama ao lado, Blanquita pôs um ponto final em seu relatório, com o coração partido, denunciando a conspiração e sugerindo revistas rigososas nos jornalistas que entrassem na tribuna de imprensa. A manifestação não aconteceria, graças a seus esforços; estaria prestando um serviço ao Estado e ao mesmo tempo salvando seu amor de perigos que ele nem imaginava. Blanquita foi até elogiada pelo seu supervisor: o coronel Molina disse que a Argentina se orgulhava de jovens patriotas como ela. Uma vasta operação de revista foi montada no estádio, mas nada foi encontrado com os jornalistas que entraram na tribuna de imprensa. Ou a operação vazara e fora abortada, ou era um alarme falso. De Blanquita, *por supuesto*. O coronel Molina não gostou.

No final, o Brasil enfiou 3x1 na Polônia e, com um saldo de cinco gols, exigiria que a Argentina, com saldo de dois, ganhasse de pelo menos quatro gols de diferença do Peru, para conseguir a vaga na final.

Ainda na tribuna de imprensa do estádio de Mendoza comemorávamos não só a vitória mas a ótima atuação do Brasil, quando começou na televisão Argentina x Peru, no Gigante do Arroyito, em Rosário.

Jogo duro no início, os argentinos nervosíssimos, errando passes, a torcida enlouquecida cantando e gritando sem parar, sob chuva torrencial, à beira de um ataque de nervos coletivo. Aos quinze minutos o Peru meteu uma bola na trave e emudeceu o estádio. A Argentina só consegiu fazer um gol na metade do primeiro tempo e, no finalzinho, o segundo. E assim os times foram para o intervalo. A Argentina teria que fazer mais dois gols no segundo tempo, com o time mais cansado e mais nervoso pela pressão. E não deixar o Peru fazer nenhum. Tarso e Bernardão bebiam vinho e comiam *carnitas al carbon*.

Como em um roteiro predeterminado, em menos de seis minutos a Argentina fez dois gols e o estádio explodiu na noite gelada. Aos 22 minutos Houseman fez o quinto gol e Luque fechou em 6x0. O Brasil, mesmo invicto, estava fora da final da Copa, a Argentina enfrentaria a Holanda em Buenos Aires. Nós jogaríamos contra a Itália pelo terceiro lugar. Mudos, Tarso e Bernardão pegaram um táxi para o hotel, fizeram as malas, pagaram a conta e foram para o aeroporto. Para despistar Blanquita, na saída Tarso pediu para a recepção fazer uma reserva no hotel El Libertador, em Buenos Aires, sabendo que a telefonista a informaria imediatamente.

Quando a televisão mostrava o sexto gol da Argentina, Blanquita recebeu no apartamento do serviço em Mendoza as fotos e o prontuário de Irene Beatriz Marín e não acreditou no que via. Não era possível que Tarso a houvesse corneado com aquela bruxa, que tinha idade para ser mãe dele, e ainda era uma subversiva e uma inimiga do Estado. Mesmo se quisesse se vingar dela, ele não poderia ter feito pior, nem ter sido mais cruel. Arrasada, Blanquita se olhava no espelho do banheiro e chorava, borrando a maquiagem, com as fotos de Irene na mão, e Tarso no coração.

Em Buenos Aires, Irene era visitada por dois agentes da Side com ordens para uma revista no apartamento.

Três horas depois, no aeroporto de Ezeiza, Tarso esperava o avião que o levaria de volta a Porto Alegre. Bernardão ficaria em Buenos Aires para ver o Brasil jogar pelo terceiro lugar. E quem sabe comer alguém, ou até mesmo poderia dar a Blanquita uma oportunidade para se vingar de Tarso.

Do telefone público, Tarso fez uma ligação *a cobro revertido* para Blanquita em Mendoza. Ela atendeu no primeiro toque.

"Cariño, onde você está? Eu não tenho culpa do que aconteceu no jogo. Lamento muito, pobrecito. A que horas vai para Buenos Aires? Em que hotel você vai ficar?", ela perguntava como se não soubesse que ele havia feito uma reserva no Libertador. Os alto-falantes chamavam os passageiros para Porto Alegre. Tarso saboreava a fuga vitoriosa:

"Abaixo a ditadura e viva a liberdade", sussurou ao telefone, fez uma pausa dramática e caprichou no tom sarcástico: "Adiós, Gladys Torres." Olhou para a cara de Bernardão, soltou uma gargalhada e desligou. Teria muitas histórias para contar em Porto Alegre. Difícil seria acreditarem.

Noite quente no motel barato

Durante mais de vinte anos, até o final dos anos 80, um motel a pé fez história em Ipanema. Sem garagens, o Agris funcionava em um pequeno sobrado decadente, com a pintura azul descascada, no final da movimentada Farme de Amoedo. O mais intrigante era a sigla abaixo do nome na portinha de entrada: P.HO. Perguntado, o porteiro respondia que era a abreviação de "Para.HOmens". Ah, bom.

Sem juízo de valor, apenas como referência de ambiente, sórdido é um qualificativo apropriado para o Agris. Para os anglo-parlantes, *sleazy, lousy*. Um *schiffo*, para os italianos. Um muquifo piolhento com oito apartamentos apertados em três andares, ligados por uma escada estreita e trôpega. Colchões de espuma esburacados, travesseiros murchos, lençóis de brancura duvidosa, mas o que se poderia esperar, por aquele preço, no coração de Ipanema? O Agris custava um terço do preço de qualquer motel da Barra.

Quem passava pela rua, e muita gente passava pela Farme de Amoedo, nem desconfiava. Com uma porta estreita e a janela sempre fechada, o prédio poderia passar por uma modesta clínica veterinária. A recepção era uma decepção. Numa saletinha, atrás do balcão, o porteiro sonolento recebia os pagamentos e entregava a chave, presa a um grande bloco de madeira com o número do quarto escrito à mão. E, às vezes, advertia que o velho ar-condicionado ou o chuveiro elétrico daquele quarto estavam queimados. Não aceitava pedidos de desconto, era pegar ou largar. Mas com uma gorjeta, era possível trocar de quarto.

Entre Ipanema e Leblon não havia nada pior do que o Agris. Também não havia nada melhor. Porque não havia qualquer motel naquela área residencial, comercial e turística, valorizada e familiar. O que não faltava era gente procurando um ninho de amor: pares formados nos muitos bares das redondezas, profissionais e clientes sem casa própria, romances proibidos e perigosos, encontros casuais que se tornavam urgências sexuais. Muitos que poderiam pagar um ótimo motel — embora mais distante, exigindo uma viagem de carro — acabavam no Agris. Eu fazia parte dessa clientela fiel de infiéis, secretos, discretos e come-quieto. Os sem-carro, sem-casa ou sem-cama. Os sem-saco, ou com tesão demais, para viajar até a Barra.

Por ser muito barato para os padrões de um motel, embora caríssimo por suas instalações, o Agris se tornou bastante popular e democrático. Seus quartos eram ocupados, muitas vezes, ao mesmo tempo por patrões e empregados, pobres, ricos e remediados, jovens de grana curta e coroas de mão-fechada, doutores e boçais, putas e madames, todos se encontravam no Agris P.HO.

Foi lá que fui parar, mais uma vez, depois de encontrar Helena em uma reuniãozinha na casa de um amigo. Quando cheguei, já estava todo mundo muito doido, umas dez pessoas cheirando, bebendo e fumando, e falando sem parar. Como não gosto de cocaína e bebo pouco, e não suporto bêbados exuberantes e cafungueiros loquazes, pensei em ir embora logo depois de entrar. Mas o sorriso de Helena, esparramada no sofá, com as longas pernas saindo pela fenda lateral da saia indiana, brincando com os pés descalços no ar, me convenceu a ficar.

Felizmente, logo o pó acabou e os convivas partiram em busca de novas aventuras.

Ficamos só nós dois e o anfitrião, que estava torto de tanto pó e birita, já cambaleante, mas ainda gentil e afetuoso. Entregou o violão para Helena e pediu:

"Toca aquela da Bethânia."

Para mim foi uma surpresa. Conhecia Helena como uma talentosa roteirista de cinema e televisão, cheia de imaginação e humor, com uma visão irônica das aventuras e desventuras do amor. Mas não imaginava que ela tocasse violão, e muito menos que cantasse. E tão bem!

"Quando você passa três,
quatro dias desaparecida,
me queimo num fogo louco de paixão
ou você faz de mim alto-relevo
no seu coração..."

Era *Anjo Exterminado*, um lindo bolero de Jards Macalé e Wally Salomão, gravado por Bethânia no início dos anos 70.

Com a saída da turma do cafunguelê, o apartamento estava em silêncio, o dono da casa deitado no tapete de olhos fechados, e eu ouvindo embevecido a voz de sereia de Helena, cantando e olhando nos meus olhos:

"Quando você passa três,
quatro dias desaparecida,
subo e desço, desço e subo escadas,
apago e acendo a luz do quarto,
fecho e abro janelas sobre a Guanabara..."

Conhecia Helena havia bastante tempo, tínhamos trabalhado juntos nos roteiros de uma série de televisão. Não chegávamos a ser amigos, mas sempre nos tratamos com carinho e simpatia. Admirava o seu talento, gostava do seu humor, mas, sinceramente, até aquela noite, nunca me sentira atraído por Helena como mulher. Não que fosse feia, mas estava longe de ser uma gata. Tinha sua graça, belos dentes, uma boca bem desenhada, um bom corpo, mais para o magro. O que ela não tinha era um estilo, se parecia com muitas moças que se via pelas calçadas de Ipanema, talvez lhe faltasse um pouco de originalidade.

Não naquela noite, naquele sofá. Ela era a única mulher do mundo naquele momento. Não que eu estivesse carente ou fosse um predador da noite. Pelo contrário, havia me livrado de um namoro incômodo fazia alguns meses e estava me sentindo muito bem solteiro, vinha me fazendo muito boa companhia. Foi o impacto da surpresa, acho, mais do que o adiantado da hora e os drinques bebidos, que favoreceram a minha descoberta de Helena. Além do seu sorriso de lábios rosados, suas pernas compridas e sua voz de sereia:

"Me queimo num fogo louco de paixões,
anjo abatido,
planejo lhe abandonar,
pois sei que você acaba sempre
por tornar ao meu lar,
mesmo porque não tem outro lugar
onde parar."

Quando Helena terminou aplaudi com entusiasmo, pedindo bis; ela agradeceu, abaixando os olhos. Reparei que tinha ficado muito mais bonita com aqueles cabelos cacheados do que com os alisados que usava quando trabalhamos juntos.

"Por favor, é bis mesmo, toca de novo", pedi com meu melhor sorriso. Ela retribuiu.

"Eu posso tocar outra, se você quiser."

"Não, não, é essa mesma, é muito linda, estou adorando como você canta." Me sentei no chão, bem de frente para ela.

Helena sorriu, sentou-se mais para a frente no sofá, afastou as pernas e puxou a saia para cima dos joelhos, ajeitou o violão sobre a coxa morena, e começou de novo:

"Quando você passa três,
quatro dias desaparecida..."

Depois que Helena cantou pela terceira vez, a meu pedido, a mesma música, o anfitrião deu boa-noite e saiu arrastando os pés para o quarto:

"Estou mortinho. A casa é de vocês."

Helena pôs o violão de lado e abriu os braços para mim. Nos abraçamos e beijamos com carinho, beijos longos e molhados, acendendo o desejo. Consegui sair dos braços dela e pedi:

"Só mais uma vez."

Ela riu, pegou o violão e cantou. Melhor do que nunca, olhando nos meus olhos cheia de promessas, balançando as pernas entreabertas no ritmo da música, reparei como seus pés eram bonitos, bem-tratados, com unhas pintadas de vermelho.

Quando Helena terminou a música, "mesmo porque não tem outro lugar onde parar", pensei logo que pararíamos no Agris, a poucas quadras de onde estávamos.

Saímos de mãos dadas e trocando beijos pela Visconde Pirajá deserta, cruzada por um raro carro ou ônibus. Entramos na Farme de Amoedo e caminhamos três quadras até o Agris, passando por alguns bares ainda abertos.

Um pouco constrangido, pedi desculpas pelo hotel. Ela riu, disse que já conhecia, que era sórdido, mas muito prático. Com uma cama, um banheiro e uma porta para fechar, era o que nos bastava, ela estava animada.

Pegamos a chave, entramos no quarto e começamos a nos beijar.

Para o porteiro Marivaldo, tudo corria normalmente naquela noite quente de verão. Às 2h40 da madrugada, a fudelança seguia animada no Agris, quatro quartos estavam ocupados. Dois aparelhos de ar-condicionado zumbiam mas não funcionavam. Uma privada estava entupida.

Um carro parou na porta e desceram dois homens. Tocaram a campainha, exibiram as carteiras de policiais, Marivaldo abriu e eles entraram:

"Assalto!"

Enquanto um apontava a arma para o porteiro trêmulo, o outro abria a porta e chamava mais dois comparsas que estavam no carro.

"Tranca a porta", ordenou o chefe, assim que eles entraram.

Mandou baterem nos quartos e dizer que era a polícia, só para averiguação de documentos, que estavam procurando um bandido.

Acho que fomos as primeiras vítimas, porque estávamos no térreo. Ouvimos a gritaria, homens andando pelo corredor, e, quando ouvi batidas e o grito de "polícia", entreabri a porta com cuidado. O bandido a escancarou com um pontapé, enfiou um revólver na minha cara e mandou que saíssemos. Não deixou nem que Helena se enrolasse no lençol: "É todo mundo nu, ordem do chefe."

Apavorados, os quartos se abriam, o assalto era anunciado. Pelados e aterrorizados, os pares eram empurrados escada abaixo.

Um a um, foram todos descendo, nus em pelo, cobrindo com as mãos as suas vergonhas, como adões e evas expulsos do paraíso pela espada flamejante de Jacaré, o chefe dos bandidos.

Sob a mira dos revólveres, a massa compacta de pelados se aglomerava na saletinha de entrada. O porteiro apavorado, de braços levantados, rendido e trêmulo. Mulheres chorando, tentando se cobrir com as mãos e os braços. Homens assustados, quase todos porque, além de serem assaltados, estavam nus onde jamais deveriam estar, muito menos com quem estavam, e fazendo o quê. Pior, só se a polícia chegasse e cercasse o Agris.

Um dos problemas de um motel de bairro é que muitos frequentadores moram nas vizinhanças e se conhecem, ou pensam que se conhecem, o que pode gerar encontros surpreendentes e desagradáveis. Morador há mais de vinte anos na área, conheço todo mundo, e o mais constrangedor, naquelas circunstâncias, foi testemunhar o encontro involuntário do empresário Nelito Sampaio e Maria Lúcia Sampaio, pai e filha. Cada um com seu par, que não eram nem a esposa dele e mãe dela, nem Renatinho, o seu namorado. Mas isso só eles sabiam, e desviavam os olhos, separados apenas por alguns corpos nus, como os deles. Cochichei para Helena quem eram os dois, ela arregalou os olhos e sussurou:

"Mentira. Não acredito. Que história, que história sensacional!"

Os bandidos estava enlouquecidos de tanto pó e anfetaminas misturadas com álcool, espumavam de tensão e excitação. Recolheram em um grande saco plástico de lixo relógios, joias, bolsas, carteiras, tudo que houvesse de valor. Jacaré achou pouco. Mandou recolher em um outro saco todas as roupas dos casais, dizendo que eram coisa fina, ia dar para os pobres.

"Pega os chaveiros também, joga tudo no saco, vamos dar trabalho para esses putos", comandou Jacaré. Os sapatos, podia deixar. Mandou outro bandido juntar todos os lençóis e toalhas dos quartos e trazer para baixo.

Com a ponta do revólver, mandou a roda de corpos nus abrir espaço para o monte de pano. Disse para um de seus homens pegar duas garrafas de rum em uma prateleira e esvaziar na pilha de lençóis e toalhas.

Pressentindo o desastre, mulheres gritavam aterrorizadas, homens nus pediam clemência, misericórdia, pelo amor de Deus, perguntando, em vão, por que tanta maldade? Helena firme, registrando tudo, escrevendo a sua história na cabeça. Eu escrevia a minha, imaginando quem seriam aqueles pares em tão insólita situação, que segredos esconderiam? O que queriam aqueles bandidos? Não era só dinheiro e joias, queriam se divertir. Será que tentariam estuprar alguma mulher? Sodomizar algum homem?

Helena pressentiu o meu roteiro e tentou me tranquilizar, dizendo que no estado em que estavam, eles não seriam capazes de comer ninguém. Tinha minhas dúvidas, eles estavam elétricos, com os olhos esbugalhados, os músculos tremendo de excitação. Jacaré abriu um sacolé, esticou uma fileira grossa no balcão e aspirou profundamente, sacudiu a cabeça e deu uma risada com dentes podres e bafo de álcool. Acendeu um isqueiro e tocou fogo na pilha de pano. Enquanto os pelados gritavam e as labaredas cresciam, os bandidos saíram rápidos com os sacos, trancaram a porta por fora, entraram no carro que os esperava com o motor ligado e fugiram dando tiros para o alto e cantando pneus pela contramão, rumo à Lagoa.

Com a porta arrombada a pontapés pelas vítimas descalças e desesperadas, a Farme de Amoedo foi abalada por uma manada de homens e mulheres nus em tropel desordenado, correndo como baratas tontas pela calçada. Os últimos bêbados dos bares não acreditavam no que viam e riam, gargalhavam. Seu Antônio, o português do botequim Sagres, pedia respeito pelos caídos e entregava seu avental imundo a um casal, oferecendo abrigo em seu banheiro.

Como no filme *Trainspotting*, a privada do Sagres era um buraco no chão, entupido de merda, mijo, vômito e insetos. O casal preferiu aguardar por socorro abaixado atrás do balcão, mas ao ar livre. Para surpresa do seu Antônio, o casal era formado por Betão, conhecido machão da área, temido por quebrar bares e dar porrada em gays e simpatizantes, e o travesti Rúbia, uma gatona loura e linda, peituda e gostosa, embora com um pau enorme, muito maior do que o de Betão, que sua mão com longas unhas vermelhas mal conseguia cobrir.

Um grupo de rapazes que passava de carro não acreditou no que via: um garotão e uma gatinha, muito gostosinha, nus em pelo, gritando e esmurrando a porta de um edifício, às três da manhã, no coração de Ipanema. Pararam o carro, assobiaram, ofereceram carona, aplaudiram e seguiram. Eram Maria Lúcia e o rapaz que não era Renatinho implorando para entrar no prédio onde o pai dela e sua amante se abrigavam.

Outro carro parou, uma garota saiu e bateu muitas fotos de todos os nus, que tentavam se esconder atrás dos carros. Ela era de Campinas, contando ninguém acreditaria; tinha que mostrar as fotos depois. Só no Rio de Janeiro...

"Deve ser uma dessas performances de teatro", comentou uma amiga.

Muito antes que o socorro chegasse, que amigos e familiares fossem avisados, que alguém fosse resgatá-los, nus e sem um tostão no bolso, perdidos na rua da amargura, antes mesmo dos bombeiros, chegavam a polícia e a imprensa, avisados pelo próprio Jacaré.

Com todo o alarido, algumas janelas se abriram, um porteiro caridoso abriu a porta de vidro gradeada de um pequeno prédio de quatro andares e resgatou o pai de Maria Lúcia e sua amante Georgette. E fechou rápido a porta, deixando de fora a garota e o rapaz que não era Renatinho. Enquanto o casalzinho esmurrava a porta, implorando para entrar, o porteiro gritava nervoso:

"Menor de idade, aqui não!"

Uma senhora grisalha abriu a porta do apartamento em frente, de penhoar e muito assustada, e, quando viu a cena, logo a fechou. O porteiro bateu na porta com delicadeza:

"Não tem perigo, dona Raquel, eles foram assaltados, coitados. Será que a senhora podia fazer a caridade de emprestar um lençol, uma toalha, um pano qualquer para esses infelizes se taparem?"

"Infelizes é o cacete", rosnou Nelito, recebendo um olhar fulminante de Georgette, e sendo obrigado a reconsiderar. Se não eram infelizes, o que seriam então? Roubados e pelados em Ipanema, às três da madrugada, com a filha e um estranho nus no meio da rua, cercados pela polícia e ouvindo as sirenes dos bombeiros.

Com uma mangueira, o porteiro do prédio vizinho dominou o princípio de incêndio no Agris sob os aplausos do público que se aglomerava em frente ao motel.

Um táxi parou e o motorista levou um susto, pensou que estava sonhando, quando uma loura grandona e peituda, nua em pelo, com as mãos cobrindo as partes, abriu a porta do carro e se jogou no banco de trás:

"Por favor, meu querido, eu fui assaltada e agredida, me leva até Copacabana, eu pago o dobro da corrida quando chegar em casa, mas vamos sair daqui pelo amor de Deus", Rúbia implorou com sua voz mais grave e sedutora, sentando-se em cima do pauzão e mostrando apenas o que parecia uma xoxotinha lisinha para os olhos extasiados do motorista no retrovisor. Faria a corrida até de graça. Quem sabe ganharia um algo mais quando a levasse a salvo para casa?

"Qual é o endereço, princesa?"

Betão esmurrava o vidro do táxi, tentava abrir a porta travada, nu em pelo, gritando palavrões e balançando o pau mole e o saco.

"Raspa daqui, moço, esse homem está louco", Rúbia implorou e o motorista obedeceu.

Um policial segurou Betão e pediu que se acalmasse, ou voltaria para casa de camburão. Queria registrar queixa na delegacia? O que tinham roubado dele? Havia sido agredido? Podia fazer um retrato falado dos bandidos?

Betão não disse uma palavra e saiu bufando de raiva. Morava a duas quadras do Agris e caminhou pela calçada até seu apartamento, como se estivesse com as mãos nos bolsos e vestido da cabeça aos pés, sem ligar para os deboches e apupos dos vagabundos que assistiam à cena. Quem se metesse a engraçadinho ia entrar na porrada.

Enrolados em um lençol velho, gentilmente cedido pela bondosa vizinha, Nelito e Georgette saíram do prédio como xifópagos e foram acomodados no carro da polícia, aplaudidos com entusiasmo e cercados por fotógrafos e repórteres pedindo declarações. Pior do que chegar em casa seriam os jornais do dia seguinte. Nelito se afundava no banco fedorento da viatura maldizendo o Agris.

Maria Lúcia e o garotão que não era Renatinho correram para o carro dos bombeiros assim que o viram chegar e foram envolvidos em cobertores, como os queimados. Estavam torrados de vergonha. Como enfrentar o pai, e o resto da família, e o Renatinho, no dia seguinte? Maria Lúcia chorava baixinho. O rapaz, embora feliz por ser alvo de tantas fotos, atenções e aplausos, começou a se dar conta da vergonha que sua namorada Camila passaria na faculdade, com os jornais rodando de mão em mão, sob deboches e gargalhadas. E pior, que humilhação para seu amigo Renatinho, tão gente boa.

Eu e Helena fomos salvos por meu amigo Castelinho, que morava quase em frente ao Agris. Quando ouviu a barulheira, ele foi para a janela, me viu naquela situação e tomou providências. Fez um sinal para esperar e um minuto depois jogava pela janela uma sunga e um biquíni de sua mulher, que vestimos sob aplausos e protestos do público. A sunga ficou meio apertada e o biquíni meio folgado em Helena, mas com um nó na lateral cumpriu a sua função.

Éramos apenas um casal de banhistas boêmios e retardatários, amantes de mergulhos noturnos, voltando para casa e testemunhando um evento tragicômico de grandes proporções. Fui levar Helena em casa a pé, caminhando a seu lado, em silêncio, por Ipanema deserta. Cada um escrevendo a sua história na cabeça — a dela, o roteiro de um curta, e a minha, este conto.

As mal-amadas

Alzira e Ivonete moravam em Copacabana e tinham quase a mesma idade, por volta dos 50, mas não admitiam. Uma viúva e outra desquitada, eram amigas havia mais de vinte anos e se encontravam todos os dias de manhã, na praia, cada uma com a sua cadeirinha de lona e sua barraca colorida.

Ivonete preferia padrões estampados e Alzira as cores lisas em seus maiôs de duas peças, que deixavam a barriga de fora, uma audácia no Brasil de 1964. Ainda mais em duas balzaquianas animadas, como se sentiam, ou velhuscas exibidas, como cochichavam as vizinhas. Apesar das eventuais gorduras indesejadas, das inevitáveis estrias e celulites, as duas se consideravam em ótima forma, muito enxutas. Havia controvérsias na vizinhança.

Se não chegavam a ser altas, as duas também não podiam ser chamadas de baixinhas. Uma morena e outra loura oxigenada, as duas tinham em comum o corpo bronzeadíssimo, à custa de longas exposições diárias ao sol dos trópicos. E a doses cavalares de óleos bronzeadores, do argentino Rayito de Sol, caro, só de contrabando, até as combinações mais alternativas, como se bezuntar com Coca-Cola, ou com uma mistura de urucum com iodo diluída em óleo Johnson, que dava, instantaneamente, uma cor acobreada, linda, que elas buscavam. Mas não bronzeava, na verdade, tingia a pele.

Tão ou mais bronzeado do que elas era Danilo, na flor dos seus 27 anos, sem profissão definida, que nunca havia trabalhado na vida. A maior parte passada se tostando ao sol de Copacabana. Entre os amigos, ficou célebre a sua reação ao ler a manchete do jornal: "Aposentadoria aos 30 anos".

"Oba! Estou com 27, só faltam três!", vibrou.

Quando a gargalhada amainou, uma alma caridosa o informou que eram trinta anos, sim, mas de trabalho.

"Ah, que pena", Danilo ficou desapontado, "estava bom demais para ser verdade".

Danilo era um típico "cachorro de tapete" de Copacabana — garotões desocupados que frequentavam a praia e estendiam suas esteiras ao lado de mulheres sozinhas, de todos os estados civis, nos melhores estados de saúde e beleza, como cachorros que se deitam no tapete ao lado da dona. E, como tinham todo tempo do mundo, ouviam, e ouviam, e ouviam, com infinita paciência, as mulheres se queixando dos maridos, dos filhos, da sogra, dos vizinhos, da solidão, e eventualmente as conversas evoluíam para fantasias de romance e aventura.

Exímios ouvintes, os "cachorros de tapete" pouco falavam, e assim logo conquistavam o apreço e a cumplicidade de suas presas: "Ah, minha filha, até que enfim encontrei alguém que me entende", elas contavam às amigas, encantadas.

Dali para a garçonnière de seu primo Gaspar, no Lido, era um pulo.

Num dia nublado, com a praia quase deserta, Danilo, bronzeado, atlético e sorridente, estendeu a sua esteira ao lado das cadeirinhas de Alzira e Ivonete, e foi recebido com calorosa simpatia pela dupla. Ivonete estava estreando um novo rádio de pilha, um tijolo de plástico azul, sintonizado na Rádio Mundial e sua programação jovem, animada pelo disc jockey Big Boy.

Danilo adorava música e era fã de Big Boy. Estavam em família. Podiam passar por mãe e filho, tia e sobrinho. Danilo não tinha a menor intenção de nada, sua prioridade eram carnes jovens e frescas, não era um garoto de programa atrás de trabalho. Como não havia quase ninguém na praia e ele não tinha nada para fazer, arrastara sua esteira até elas para ouvir o som de perto.

E não se arrependeu. Elas não falavam de maridos, nem de filhos, nem de vizinhos, mas de artistas famosos, de políticos que ele conhecia vagamente, e, Danilo pasmou, de futebol, um dos poucos assuntos em que ele não seria só ouvinte. Uma era Flamengo e a outra, Vasco, discutiam aos gritos sobre o último encontro entre os dois e quase se estapearam. Depois se abraçaram e se beijaram, às gargalhadas. Para Danilo, foi uma sorte ser Fluminense.

Se no futebol eram adversárias inconciliáveis, na política, Ivonete e Alzira estavam do mesmo lado, as duas eleitoras e fãs de Carlos Lacerda, governador do Estado da Guanabara, como passara a se chamar o Rio de Janeiro depois que a capital mudou para Brasília, quatro anos antes. Lacerdistas roxas, elas o achavam belo e viril, se encantavam com sua voz grave e vigorosa, os virulentos discursos pelo rádio, as aparições na televisão de dedo em riste, com seus célebres óculos de aros grossos e os vitupérios contra comunistas que queriam tomar o poder. Os adversários o chamavam de "O corvo", mas para elas Lacerda era belo como o pavão, arguto como a águia, majestoso como o condor. Para os antilacerdistas, elas duas, e uma legião de mulheres como elas, eram as típicas "mal-amadas", a base do eleitorado de Lacerda. Solteironas, viúvas, desquitadas, feias, gordas, velhas, desprezadas, abandonadas, elas canalizavam seu afeto, seu ressentimento e sua energia sexual reprimida para Lacerda e se entregavam de corpo e alma às campanhas. O lacerdismo como patologia.

Ivonete e Alzira ficavam muito ofendidas ao serem chamadas de "mal-amadas", talvez porque na verdade se sentissem assim. E lhes fosse tão doloroso admitir. A vida não era fácil para uma viúva e uma desquitada, cinquentonas de classe média, que estavam longe de ser bonitas, no Rio de Janeiro de 1964, com as praias inundadas de brotinhos e balzacas bem apanhadas, todas dando sopa.

Danilo nem sabia direito quem era Lacerda, achava que era um narigudo de óculos que aparecia na televisão, mas talvez estivesse confundindo o político com seu discípulo Flávio Cavalcanti. Gostava de histórias em quadrinhos, do Capitão América, do Super-Homem, de vampiros, de caubóis, e de filmes de aventura. Além do futebol e da música.

Morava com a mãe, viúva de um capitão do exército, morto quando Danilo tinha 3 anos. Para dobrar a magra pensão, dona Diva costurava para fora roupas de senhoras e de crianças, com uma boa clientela. Dedicava, com prazer e sem reclamar, seu trabalho e sua vida ao filho único. Nunca fora rigorosa com a (falta de) frequência dele na escola, nem se importava com os boletins cravejados de notas vermelhas de seu menino. Era a primeira a dizer-lhe para não ir às aulas em dias de chuva, podia pegar um resfriado, uma pneumonia, e afinal aula havia todo dia. Ficou feliz quando ele, a duras penas, em um colégio pagou-passou, conseguiu terminar o ginásio. Não pelo diploma, mas porque assim poderia ficar mais tempo em casa e na praia, aproveitar mais a vida, fazer-lhe companhia. Sua maior alegria era fazer as vontades de Danilo, comprar-lhe presentes, vê-lo sorrir, tão lindo, tão doce o seu menino.

Nas raras vezes em que pensou em um trabalho qualquer, comparando os possíveis salários com o que sua mãe lhe dava para não fazer nada, as conclusões de Danilo não eram animadoras. O amigo Heitor não concordava:

"Pô, cara, você fica com o teu salário e o dinheiro que tua mãe te dá, dobra a tua grana."

"Ah, mas aí eu vou ter que trabalhar, vou perder oito horas por dia, não vale a pena, é melhor deixar como está." Danilo estendeu sua esteira ao sol de Copacabana.

Enganam-se os que pensam que Danilo estava se preparando para seduzir e depois dar algum golpe sujo nas duas senhoras indefesas. Ele tinha bom coração, boa índole, sua mãe sempre lhe dizia, mesmo quando errava era por ignorância, esquecimento ou distração, nunca por mal. Danilo acreditava em sua mãe mais do que qualquer pessoa no mundo. Era um crianção, um bobalhão explodindo de testosterona, que andava em bandos e se alimentava de brotinhos caçados nas areias brancas de Copacabana.

Mas não operava com coroas: seu limite estava na marchinha de carnaval *Balzaquiana*, que exaltava a mulher depois dos 30. Mas não ia além. Alzira e Ivonete podiam ser suas tias, estavam fora do seu radar sexual. Mas eram muito simpáticas e divertidas, pensava Danilo, vendo-as discutindo futebol e depois uma sacaneando a outra, como num programa de humor do rádio, só para diverti-lo. Danilo ria como um menino, Alzira e Ivonete estavam encantadas com a companhia, elas sim, com fantasias mirabolantes lhes enchendo as cabeças brancas, agora coloridas.

Naquele fim de verão de 1964 o país estava pegando fogo, com grande agitação política nas ruas e intensa movimentação nos quartéis, com boatos de iminente golpe militar contra o governo João Goulart, embora Danilo não soubesse de nada disso. Para ele, o verão estava melhor do que nunca, com uma boa safra de brotinhos e festinhas, e agora com a companhia de Alzira e Ivonete, que eram muito mais divertidas do que as garotas que queriam fazer romance e casar de véu e grinalda.

No dia seguinte o sol reapareceu e a praia voltou a se encher de jovens, turistas e desocupados. Entre eles Danilo, que chegou pouco depois de Ivonete e Alzira e foi se juntar à sua turma de cafajestes, a conveniente distância delas. Em vão. Assim que o viram, mesmo a mais de 50 metros, elas começaram a acenar espalhafatosamente, apontando para Danilo. A turma encarnou:

"Novas conquistas, é? Valorizando a experiência, Danilo?"

"Vai lá, estão te chamando, Danilo, o gostosão das mal--amadas."

"O que vale é a beleza interior, né, Danilo?"

Sob vaias e gritos de estímulo, trotando na areia quente, de cabeça baixa, Danilo foi até as duas coroas, que se levantaram para recebê-lo com tapinhas nas costas e dois beijinhos. E logo lhe ofereceram uma cestinha com empadas de camarão, que se revelaram deliciosas. Abriram uma grande garrafa térmica cheia de cerveja geladinha e encheram os copos de plástico.

Saboreando a empada e a cerveja, Danilo provocava a turma a distância, levantando o copo num brinde debochado. Eram um bando de duros, só poucos podiam se dar ao luxo de pagar um mate no copinho de papel ou um pacote de biscoitos Globo, que era tudo que havia à venda na praia, além de um eventual picolé de frutas. Danilo não tinha nada do que se envergonhar, eles é que deviam invejar suas novas amizades. Comeu mais uma empada, se despediu e voltou para a turma, arrastando os pés na areia:

"Pô, pessoal, é só a minha tia Alzira e uma colega dela." Danilo foi recebido aos gritos, deboches e jatos de areia, e fugiu correndo para o mar, perseguido por um bando de jovens faunos bronzeados.

Ao longo da manhã, enquanto Ivonete e Alzira acabavam com as empadas e a cerveja ao som da Rádio Mundial, Danilo tentou dois "cachorros de tapete", com uma trintona recém-desquitada, um de seus pratos favoritos, e um brotinho de São Paulo, um pouco magrela para seu gosto. Mas os dois se revelaram infrutíferos. Apenas mais um dia de sol.

De volta à turma, viu Alzira e Ivonete fechando as barracas e as cadeiras e acenando para ele. Não estavam dando adeusinho, elas estavam chamando. Talvez para lhe dar o que havia sobrado das empadas, pensou Danilo faminto, trotando de volta em direção a elas, sob os apupos da turma.

"Vem almoçar com a gente, tem um vatapá sensacional que a Alzira fez", convidou Ivonete, "ela é de família baiana. Você nunca comeu nada igual. Ajuda a gente a carregar as barracas. Vamos embora que a areia está quente e a barriga está roncando".

"Já está prontinho, é só esquentar e comer", insistiu Alzira.

Danilo não pensou duas vezes, o estômago falou por ele.

Vestiu a camisa que estava enrolada na cintura, sacou de um pequeno pente de plástico, que, junto com a chave de casa, era tudo que havia no bolsinho de seu short, e penteou para trás suas melenas morenas e molhadas, sob os olhares maternais, ou nem tanto, de Alzira e Ivonete. E partiu sob as vaias da turma, tão altas que se ouvia apesar da distância e do barulho das ondas.

Foi o início de uma bela amizade.

Os almoços se sucederam, Alzira adorava cozinhar, deixava tudo pronto antes de ir para a praia. Bobó de camarão, frigideira de siri, frango ao molho pardo. Foram tardes alegres discutindo futebol e contando para Danilo as novidades da ciência, do cinema e da música. Elas ouviam a Rádio Mundial o dia inteiro, telefonavam para votar em suas músicas favoritas: cada música representava uma cor, e como eram muitas, não eram só música verde ou vermelha, mas também música cíclame ou fúcsia. Os ouvintes votavam e ouviam as vencedoras no fim da tarde. Danilo comia os brotos, mas se alimentava mesmo é com as coroas. Com todo respeito.

Danilo estava adorando. Encontrara duas tias bondosas que o alimentavam e o divertiam de graça, sem pedir nada em troca. Estava até se afeiçoando a elas. Eram boas pessoas, senhoras honestas, que viviam confortavelmente com suas rendas e não deviam nada a ninguém.

Alzira, a desquitada, tinha uma filha que morava nos Estados Unidos e mais ninguém no mundo, além de suas velhas tias em Salvador com quem não tinha maiores contatos. Ivonete, a viúva, não tivera filhos, e suas duas irmãs casadas com filhos moravam em Belo Horizonte. Depois que sua mãe morrera, no Rio, viviam insistindo para que ela se mudasse para Minas, mas sem praia, sem

Alzira, e agora Danilo, não havia a menor possibilidade. O que ela iria fazer, cuidar dos sobrinhos? Era dali para o túmulo! Ainda tinha muita vida para viver.

Com o passar dos dias, a turma desistiu de debochar e começou a invejar:

"Pô, Danilo, traz umas empadinhas pra gente, mermão", imploravam.

"Aí, Danilo, uma cervejinha ia cair bem com esse calor, e eu aqui durango kid", esmolavam.

Danilo nunca trazia nada, e ainda sacaneava:

"Não trouxe empada porque não tinha. Hoje era coxinha de galinha, estava uma delícia. Depois eu conto a vocês o cardápio do almoço."

Depois do almoço, tirava uma soneca no quarto de hóspedes com ar-condicionado do apartamento de Alzira, no Edifício Gibraltar. Danilo se despedia com beijinhos e voltava revigorado para a praia, pronto para mais um "cachorro de tapete". O turno da tarde era pródigo em jovens senhoras solitárias, com seus livros e suas revistas, precisando de alguém que ouvisse as suas histórias, que acreditasse nelas, que as elogiasse. Com todo respeito. Pelo menos para começar. Mulher detesta cafajeste, dizia a sua mãe, e ele acreditava. Além de educado e simpático, também ajudava no exercício da função o fato de Danilo ser um moreno muito bonito, atlético e bronzeado, de dentes branquíssimos e um sorriso radiante.

Radiantes estavam Alzira e Ivonete; Danilo era mesmo um "pão", como diziam as garotas, uma bem-vinda fonte de alegria e juventude em suas vidas. Estavam felizes com o que tinham, viam e ouviam, não precisavam de mais nada, além da sua companhia e do óleo que ele passava com delicadeza nas costas delas, na praia, várias vezes por dia.

Ivonete herdara um fusca do marido, mas tinha medo de dirigir entre os ônibus e lotações do Rio de Janeiro e quase não saía de carro.

Danilo, que adorava dirigir e tinha carteira de habilitação desde os 18, embora não tivesse carro, assumiu o volante e deu grande mobilidade ao trio, que passou a fazer passeios a Santa Tereza, às praias desertas da distante Barra da Tijuca, ao Bar Bem, no largo de São Conrado, onde havia só uma igrejinha, o clube de golfe e o mar bravio em frente. Foram a Petrópolis, visitar o Museu Imperial e almoçar na famosa Confeitaria D'Angelo.

Descendo a serra, Danilo se lembrava de seus tempos de colégio: no primeiro dia de aula, para os meninos, todas as meninas pareciam horrorosas. Mas com a convivência diária, ele e os colegas iam descobrindo os seus encantos. No final do ano, se transformavam em deusas, objetos do desejo de todos os meninos da turma. Por que com Ivonete e Alzira seria diferente?

Quanto mais as conhecia, menos velhas, gordas ou feias elas lhe pareciam, eram até umas coroas jeitosas, sempre perfumadas, com suas peles bronzeadas, seus cabelos e suas unhas bem-cuidados. A verdade é que Alzira e Ivonete haviam mesmo melhorado, e muito, pareciam rejuvenescidas e mais magras, estavam com os rostos mais felizes, usavam vestidos soltos e coloridos, caprichavam na maquiagem, antes mesmo de ir para a praia. E adoravam dançar no meio da sala com o rádio ligado alto. Cantavam juntas os sucessos do rádio, *Oh Pretty Woman*, com Roy Orbison, *Que c'est Triste Venise*, com Charles Aznavour, *La Bamba*, com Trini Lopez, e o grande sucesso do momento *She Loves You*, com a nova sensação inglesa, The Beatles.

A primeira vez que Danilo ouviu os Beatles foi no rádio de pilha azul de Ivonete. E adorou. Não só a música, mas aqueles terninhos e os cortes de cabelo que ela mostrara nas revistas. Alzira logo comprou o single de *She Loves You* e *I Wanna Hold Your Hand*, e eles se acabaram de dançar e de cantar. Inclusive Danilo, que antes de conhecê-las era tido como um rapaz tímido, que não gostava de dançar, porque não sabia. Na sua turma de cafajestes, homem que dançava qualquer coisa que não fosse rock-and-roll era considerado pouco macho. Mas Alzira e Ivonete logo perceberam seus motivos e explicaram a ele que não havia mais essa coisa de danças coreografadas como chá-chá-chá, twist e hully-gully, em que era preciso saber os passos, a coreografia, agora cada um dançava do jeito que queria, sozinho, em dupla ou em grupo, se mexendo como quisesse. Enquanto os Beatles cantavam "*she loves you yeah yeah yeah*" em Londres, o Brasil respondia com Roberto Carlos com *Parei na contramão* e Wanderléa, com *O exército do surf*. Em Copacabana, Alzira, Ivonete e Danilo caíam no iê-iê-iê.

O primeiro abalo no triângulo foi o aparecimento de Marconi, um coroa boa-pinta, mais ou menos da idade delas, que uma manhã veio até a barraca pedindo fogo para o seu cigarro. Alzira acendeu com seu poderoso Zippo, à prova de qualquer vento. E convidou-o para uma cerveja e uma empadinha de palmito. Ele aceitou, agradeceu, e disse que era de origem italiana, trabalhava com imóveis e morava no Leme. Todos os dias caminhava de lá ao Posto Seis, com pausas para mergulhos e um cigarrinho. Alzira o convidou a sentar na sombra e se abriu em sorrisos. Danilo não gostou da pinta nem do papo do coroa. De malandros e cafajestes, ele sentia o cheiro de longe.

Quando Marconi reapareceu no dia seguinte, como quem não quer nada, e se alongou num papo com Alzira sobre as belezas de Nápoles, terra de seus pais, Danilo ficou com as orelhas em pé. A baiana estava toda derretida, mais um pouco e o convidaria para almoçar. Mas Marconi partiu, sua movimentada vida imobiliária o esperava.

Na terceira aparição, Danilo já sabia o que fazer. Deixou-o falar à vontade, sobre receitas italianas, sobre a alegria do povo de Nápoles, sobre seu amor pelo Brasil. E quando ele se levantou e partiu rumo ao Leme pela beira da água, Danilo avisou:

"Meninas, vou ter que ir até em casa buscar uns discos novos que quero mostrar para vocês, volto já, já", atravessou a areia quente, pegou o fusca e seguiu Marconi pela avenida Atlântica. O homem nem chegou até o Leme, parou no Lido e pegou um táxi. Danilo o seguiu até Botafogo, a uma transversal da Voluntários da Pátria, onde entrou em um prediozinho modesto de três andares.

"Aqui não tem nenhum Marconi, quem entrou agora foi o seu Giovanni", informou o porteiro a Danilo, que ficou sabendo também que ele morava com a mulher e uma filha adolescente.

"Seu Giovanni", Danilo gritou da calçada. Marconi apareceu na janela.

Vitorioso, Danilo voltou às areias do Posto Quatro, para dar as boas e más notícias a Alzira e Ivonete. Elas receberam com estupor e incredulidade as informações sobre o trambiqueiro, mas depois caíram na gargalhada e brindaram com cerveja a eficiência investigativa de Danilo, que, além de tudo, ainda as protegia de sedutores golpistas.

"Você não acha que ele ficou com uma pontinha de ciúme?", Alzira comentou baixinho com Ivonete e as duas se escangalharam de rir enquanto Danilo desarmava as barracas e preparava a retirada para o almoço.

"Estamos rindo do italiano", explicou Alzira, quando ele se virou sorridente e inocente.

Marconi nunca mais apareceu.

Depois de uma tarde enfadonha ouvindo, e depois comendo, uma jovem paulista e desajeitada, falando bobagens e contando vantagens com aquele sotaque de "apartameintos" e "momeintos", Danilo começou a questionar a sua rotina de vida. Tanta chatice para uma fodinha pífia, com a garota toda tensa, repetindo que seu maior pavor era ficar grávida e exigindo que ele usasse camisinha, o que ninguém na turma fazia: as meninas que contassem os dias férteis e usassem seus diafragmas, era problema delas. Danilo quase desistiu, mas acabou indo até o fim, de camisinha, rápido como um coelho, só para não se sentir diminuído em sua macheza. Era muito pouco para três manhãs de "cachorro de tapete", avaliava arrependido.

No início da primavera, seis meses depois de conhecer Alzira e Ivonete, a vida de Danilo mudara para melhor. Muita coisa aconteceu no Brasil, além do início do programa da Jovem Guarda na televisão, nas tardes de domingo, que eles não perdiam. *Garota de Ipanema* ganhou o Grammy de "música do ano". Um golpe militar sacudiu o país, prendendo corruptos e comunistas, cassando deputados subversivos, deixando Ivonete e Alzira eufóricas. Carlos Lacerda era um dos líderes da revolução vitoriosa, que limparia o Brasil de ladrões, imorais e subversivos. Os militares só fariam o trabalho sujo, a limpeza, e logo devolveriam o poder aos civis. E aí Lacerda seria presidente da República, esmagaria JK nas urnas; elas vibravam de civismo. Danilo sentia uma pontinha de ciúme de Lacerda.

Alzira e Ivonete melhoravam a olhos vistos, pareciam haver florescido com a primavera. Ninguém daria mais de 100 anos para a dupla, no máximo 45 por cabeça. Só os comunistas e as despeitadas ousariam chamar as lacerdistas bronzeadas do Posto Quatro de mal-amadas. Ao mesmo tempo em que emagreciam, diminuíam pouco a pouco os sutiãs e a parte de baixo do maiô, mostrando mais da barriga e do alto das coxas firmes e morenas. Do verão à primavera as calcinhas haviam diminuído alguns centímetros, e ajudavam a atrair olhares masculinos para a dupla. Ainda mais quando elas rebolavam caminhando de chinelos na areia quente.

Um otário novo da turma chegou a acreditar que Alzira era tia de Danilo:

"Pô, se eu tivesse uma tia dessas não saía de casa..."

Uma tarde, na casa de Alzira, eles haviam voltado para o almoço, e, já saindo do elevador, Ivonete se deu conta de que esquecera o doce de abóbora que havia feito e foi até a sua casa, no edifício ao lado, buscar a sobremesa.

Enquanto Alzira tirava o almoço da geladeira, Danilo tomou uma chuveirada para tirar a areia e foi para a varanda se enxugar ao sol. Alzira se preparava para entrar no chuveiro, quando a campainha tocou e ela gritou, entreabrindo a porta do banheiro:

"Danilo, abre a porta para a Ivonete, ela deve ter esquecido a chave."

Quando Danilo passou pelo corredor rumo à sala, uma lufada de vento escancarou a porta entreaberta do banheiro e mostrou Alzira inteira no espelho, só de calcinha, com seus belos peitos à mostra. Quando o viu, ela não se mexeu nem se assustou, apenas sorriu e fechou a porta sem pressa. Estonteado com a visão, Danilo abriu a porta da cozinha para Ivonete, ainda assustado.

"Que é que houve? Viu assombração? Tô tão feia assim?"

"Não, não, você está muito bonita", Danilo gaguejou que estava distraído e se assustara com a campainha.

Ivonete colocou o doce de abóbora na geladeira, pegou uma cerveja e dois copos e ficou conversando na cozinha com Danilo enquanto Alzira tomava banho.

Disse que estava mesmo se sentindo bonita, e não só pelos assobios dos paraíbas da obra na esquina. Em vez de quarenta, estava vestindo tamanho 38. Graças aos genes maternos tinha ótima pele, que mantinha em notável estado para uma mulher de 51 anos. O rosto bronzeado contrastava com os olhos amarelados e os cabelos louros de Ivonete, que ultimamente só usava maiôs de duas peças pretos, cada vez menores, que para Danilo mais pareciam calcinha e sutiã. Ainda mais quando ela cruzava e descruzava as pernas sentada no banquinho da cozinha. Danilo fez um balanço e concluiu que dos seus cinco últimos "cachorro de tapete" bem-sucedidos, pelo menos quatro não tinham pernas e coxas mais gostosas do que as de Ivonete. Nem os peitos de Alzira. Só mesmo a mineirinha casada, que dizia ter 30 anos, poderia ser páreo para elas. Ou elas estavam melhorando muito, ou a qualidade das conquistas estava decaindo demais.

Não era o caso, mas se tivesse que escolher entre Alzira e Ivonete, Danilo não saberia o que fazer. Pelo jeito que dançavam, que mexiam os corpos, Danilo adivinhava nelas uma vitalidade e um apetite que quase nunca encontrava nos brotos.

Depois do almoço, elas ficaram jogando cartas na sala enquanto Danilo tirava seu cochilo no ar-refrigerado.

Acordou uma hora depois, de pau duro, saindo do short, sem se lembrar do que tinha sonhado, e ficou com medo de que o vissem daquele jeito. Se enrolou numa toalha e foi tomar uma chuveirada fria e se acalmar. Era melhor voltar para a praia.

Depois do banho, Danilo vestiu o short e a camisa e foi para a cozinha, tomar uma Coca-Cola. Ouviu a voz de Alzira e os passos de seus tamancos:

"A Ivonete já foi, te deixou um beijo."

Com a geladeira aberta sobrava pouco espaço entre a porta e a pia na bancada da cozinha. Foi por ali que Alzira se esgueirou, apertando as costas de Danilo com seus peitos:

"Pega uma para mim também, estou morrendo de sede."

Além dos tamancos, Alzira estava de short, com uma camisa de homem com os três primeiros botões abertos, mostrando boa parte dos seus seios apertados no sutiã preto. Danilo mal teve tempo de lhe entregar a Coca-Cola, os corpos se aproximaram perigosamente, se abraçaram quase sem querer. E começaram a se beijar com fome e prazer.

O barulho das garrafas de Coca-Cola se espatifando no chão deve ter encoberto o girar da chave na porta da cozinha e a interjeição de espanto de Ivonete, que voltara para buscar as formas de bolo que havia esquecido.

Na moldura da porta aberta, Alzira e Danilo viram a expressão de surpresa, decepção e horror de Ivonete, que começou a chorar, bateu a porta e desceu correndo as escadas. Até Alzira pegar o elevador e chegar à portaria, ela já havia sumido na avenida Atlântica.

Danilo ficou como um bobalhão na cozinha, tomando Coca-Cola e tentando imaginar o tamanho da encrenca. Numa hipótese otimista talvez pudesse comer Alzira, e depois Ivonete. Afinal, eram todos amigos. Talvez tivesse sido só o choque da surpresa, logo Ivonete voltaria à alegria de sempre, afinal não acontecera nada além de um beijo rápido. Podia beijá-la também, se ela quisesse, não precisava ficar com ciúmes. E além disso, ele não tinha compromisso com ninguém, não traíra ninguém.

Quando Alzira voltou, Danilo não entendeu muito bem o que ela gaguejou, nervosíssima, quase chorando:

"Fui na casa dela mas ela não quis abrir a porta de jeito nenhum, disse que não quer conversa, acho que está muito magoada." Alzira falava com uma voz grave e triste, como Danilo nunca ouvira.

Tentou abraçá-la e levou um safanão:

"Sai fora! Nenhum homem do mundo vai acabar com a minha amizade com a Ivonete. Meu Deus, o que é que eu vou fazer?"

Telefonava sem parar para Ivonete:

"Ela não quer atender, desliga quando ouve minha voz", e começou a chorar, encolhida no sofá, com a televisão ligada sem som. Danilo saiu em silêncio.

Ivonete acabou atendendo Alzira e a recebeu em sua casa. Alzira passou a noite pedindo desculpas e dizendo que a amava mais do que uma irmã, que aquela fraqueza infeliz tinha servido para mostrar como era impossível imaginar a vida sem ela, que faria qualquer coisa para vê-la feliz, fariam uma viagem, se divertiriam, começariam outra história. Terminaram aos prantos, beijos e abraços, dormindo de mãos dadas, como duas irmãs.

No dia seguinte, Danilo estranhou que elas não aparecessem na praia. Foi até o Edifício Gibraltar procurar por Alzira, e o porteiro disse que elas haviam viajado. Não sabia para onde, nem quando voltavam.

Era mentira, elas ainda estavam no Rio, apenas tinham mudado de praia. Passaram a frequentar o Posto Cinco, onde ninguém as conhecia.

Felizes para sempre

O galante dr. Gouveia, com seus ternos bem cortados e seu topete construído diariamente com brilhantina e paciência, morava em uma boa casa de dois andares no Bairro Peixoto, com a filha adolescente Camila e a esposa Anita. Viviam em paz e harmonia na Copacabana idílica do final dos anos 50, na euforia dos anos JK, de quem Gouveia era eleitor e entusiasta.

Gouveia estava se tornando um respeitável e próspero pediatra, com uma vasta clientela de filhos da classe média da Zona Sul carioca. Gostava de jogar peteca na praia, tinha um bom físico para seus 50 anos, caprichava nos ternos e nas gravatas, que o faziam se sentir com mais autoridade e inspiravam mais confiança nos pacientes, ou em suas mães.

Além de mães, Gouveia também gostava de crianças, era cuidadoso e competente, muito delicado e paciente. E galante. Sempre pronto para um elogio do cabelo, do vestido ou da forma física da mãe, e da beleza e vitalidade do rebento.

Mas Gouveia não queria comer ninguém, era só galante, fazia parte de seu estilo meio antiquado. Era apaixonado pela esposa Anita, sua primeira e única namorada, e adorava a filha Camila, pianista que os dois consideravam potencialmente um gênio musical. Gouveia gostava muito de sua família, de seu trabalho e de sua vida, só não gostava do próprio nome, herdado do pai e do avô, junto com o consultório médico.

Poucos o conheciam como Cornélio Gouveia Neto. Até na porta do consultório, no bloco de receitas e no carimbo do registro profissional ele se apresentava como dr. C. Gouveia Neto. Nos hospitais, era conhecido como dr. Gouveia Neto. Até a esposa e a filha o chamavam de Gouveia. Só à sua velha mãe permitia que o chamasse de Nelinho. E mesmo se não permitisse, ela chamaria. Até de Cornelinho, se quisesse. E ele atenderia.

Camila tinha 15 anos, era muito parecida com a mãe, mas loura, de olhos claros e pele alvíssima. Muito leve e frágil, de aparência doentia, ao contrário de suas colegas bronzeadas de Copacabana, nunca ia à praia. Sempre pálida, com as veias azuladas desenhando seus braços como uma tatuagem, Camila ia ao colégio de manhã, tinha aulas particulares de inglês, e passava as tardes estudando música e fazendo exercícios de piano, conhecidos de toda a vizinhança.

Quando, depois de meia hora de um exercício de escalas cromáticas, algum vizinho reclamava da janela, Camila tocava algumas sonatas de Chopin e ouvia palmas das casas em volta.

Era o xodó dos pais. Uma futura concertista internacional, sonhavam.

Com 19 anos, tocando em uma apresentação de jovens talentos no Conservatório Musical Lorenzo Fernandes, Camila ganhou um fã: o jovem diplomata Sérgio Ramos Baptista, dez anos mais velho do que ela, de férias no Brasil de seu posto na Embaixada em Londres.

Foi amor à primeira vista, às primeiras notas. Sérgio amava louras diáfanas e música clássica, especialmente para piano, e principalmente tão bem tocadas. Ficou encantado com o que ouviu e viu, e foi cumprimentá-la no camarim.

Quando viu aquele jovem cavalheiro de terno cinza risca de giz, camisa branca e gravata preta de tricô, Camila sentiu o perfume de gente elegante e bem-nascida. Ele estava emocionado com as suas interpretações e beijou suas mãos com ardor. Camila sentiu o coração bater mais forte e acelerado, como nunca sentira em sua vida. E teve certeza de que era o seu príncipe encantado que chegava em seu carro branco puxado por oitenta cavalos.

E era mesmo. Como em um conto de fadas moderno, tudo foi fácil e rápido, as famílias se conheciam, logo os dois se tornaram um par constante. Sérgio passava as tardes em casa ouvindo-a tocar piano e, à noite, a levava a um cinema em Copacabana e depois para um sorvete no Bob's ou uma pizza no Caravelle. No fim das férias a pediu em casamento.

Gouveia e Anita ficaram chocados. E com os corações divididos. Sérgio era perfeito para Camila, para qualquer mulher. Em Londres, ela poderia ter os melhores professores de piano, assistiria aos melhores concertos dos melhores pianistas, teria contato com a nata do mundo musical, poderia começar sua carreira internacional.

Mas eles perderiam a sua única e adorada filha.

"Calma, gente, eu não vou morrer, só vou morar um pouco longe", Camila os consolava, "vocês vão me visitar quando quiserem, nós vamos ter um quarto para vocês. E claro que quando o bebê nascer vai ser examinado pelo dr. Gouveia".

Depois de dois meses de intensa troca de cartas, cada vez mais ardentes, pela mala diplomática, Camila partiu com os pais para Londres, para três semanas com o noivo.

Antes da partida, com Camila estudando piano, Anita arrumava sua mala e, ao ver o maço de cartas enlaçadas por uma fita rosa, não resistiu. Afinal, era só para o bem dela, para protegê-la, ainda era uma menina. Não devem existir segredos entre mãe e filha.

O namoro estava quente, Anita enrubescia mais a cada carta que lia, em ordem cronológica, com o crescendo da paixão e do desejo dos noivos de consumar o que havia começado no Rio. Nas últimas filas dos cinemas, ou nas noites em que não foram ver os filmes para assistir às "corridas de submarino" na praia do Arpoador, no banco de trás do carrro, fazendo seu próprio filme. Que parava no momento de suspense máximo.

"Entre essas coxas de alabastro, lisas como a seda mais fina, quentes como os teus beijos de amor", escrevia Sérgio. O que viria depois?, se angustiava Anita, ao mesmo tempo em que sentia uma estranha mas poderosa excitação lhe tomando pelas entranhas, disparando os seus hormônios e a sua imaginação. Não só de mãe, mas de mulher. Não conseguia parar de ler.

"... minha língua acariciava os teus botões de rosa úmidos e túrgidos, enquanto minha mão conhecia as portas quentes e molhadas do paraíso", se entusiasmava o noivo. A noiva se revelava um vulcão de sensualidade, jamais suspeitado pela mãe, e, pior, já em erupção.

"... como em um sonho, sinto de novo a pressão e o calor dos seus lábios me levando ao êxtase e dando à sua boca o gosto do meu amor."

Na última carta, já nus no quarto dela, quando os pais haviam saído para jantar fora, estiveram perto, muito perto, de romper a última barreira. Para que esperar mais, se queremos tanto, e vamos nos casar?, ele pedia. Quanto mais a gente esperar, mais gostoso vai ser, o mundo não vai acabar, ela prometia.

Ufa! A filha ainda chegaria virgem a Londres, Anita leu a última carta. E que importância tinha isso? Sua mãe estava com a calcinha úmida de excitação.

Sentiu um calor lhe subindo pelo rosto, fechou rapidamente o maço de cartas com a fita cor-de-rosa, como se alguém pudesse chegar a qualquer momento e surpreendê-la naquele estado. Mas, a menos que o piano estivesse tocando sozinho, ninguém apareceria. Foi direto para o chuveiro, tomou um longo banho frio, tentando se esquecer do que lera, e como se sentira. Mas não esqueceria nunca.

A viagem a Londres foi puro prazer. Para todos. Gouveia, encantado com a civilização, a educação, a cultura, as brilhantinas Yardley, se sentia um Humphrey Bogart com seu impermeável Burberry's. A filha estava em boas mãos. Anita concordava, cada dia descobrindo novas qualidades no genro, um homem bonito e inteligente, elegante, de ótima família, com uma carreira brilhante pela frente. E de temperamento ardente — mas isso só ela e a filha sabiam.

Todos os dias observava Camila, se perguntando se ela ainda seria virgem. Muitas vezes sentia medo de estar olhando o genro como alguém que sabe o que ele disse e fez com a sua filha. Mas pelas expressões deles, não pareciam nada preocupados, tudo seguia em plena harmonia. Sérgio trabalhava de segunda a sexta na Embaixada, mas todas as noites os levava a um restaurante, cada um melhor do que o outro — indianos, chineses, japoneses, italianos, franceses, e até ingleses, que desmentiam a má fama da comida local. Além dos musicais nos teatros do West End e os filmes em Piccadilly aos sábados, os passeios pelos parques nos domingos.

Além disso, foram convidados para uma recepção de gala que o embaixador Porto Domingues ofereceria ao Corpo Diplomático nas comemorações do 7 de setembro. Vários membros da família real inglesa eram esperados, se excitava Anita. Camila preferiria assistir a um concerto no Albert Hall ou a um balé no Covent Garden, iria só para acompanhar Sérgio, estava incomodada por ter que comprar um vestido longo em Regent Street. Gostaria muito mais de ficar com Sérgio no quarto dele, nua debaixo do edredom de plumas e com a lareira acesa, como no último sábado, enquanto os sogros faziam uma excursão ao Castelo de Windsor, distante uma hora de Londres. Quando chegasse, Anita notaria uma expressão diferente de felicidade na filha. Coração de mãe não se engana.

Voltaram de Londres felizes, menos Camila, que havia provado o *taste of honey* e teria que esperar mais dois longuíssimos meses até o casamento no Rio de Janeiro, no Outeiro da Glória.

Os dois meses seguintes foram dedicados aos preparativos do casamento, à lista de convidados, à festa, à lua de mel em Paris, até algumas aulas de piano foram negligenciadas. Anita não parava, se sentia mais nervosa do que se fosse seu próprio casamento. Mesmo se a filha não fosse mais virgem, tudo mais seria novidade, um país estranho, uma língua estrangeira, o inverno rigoroso, sem amigos, sem os pais. Felizmente estaria com o seu príncipe moreno, de ternos de Savile Row, sempre penteado e perfumado, falando várias línguas, conhecendo membros da realeza inglesa, apaixonado e insaciável, louco para beijá-la e penetrá-la dia e noite.

O casamento foi um sucesso, um acontecimento social que ocupou as colunas de jornais e as fofocas de cabeleireiros e modistas.

Quando Camila se casou, já estava grávida. Enjoou durante toda a lua de mel e só em Londres, com a ajuda de um obstetra competente, começou a melhorar. A gravidez foi tranquila, olhando as cores do parque mudarem com as estações, estudando piano como nunca, cada vez mais apaixonada pela música. Todas as semanas ia a concertos na Royal Opera House, no Barbican, no Queen Elizabeth Hall. Conseguiu uma ótima professora, miss Bonievski, uma ex-concertista polonesa que havia perdido parte dos movimentos dos dedos, mas estava lhe ensinando os segredos da disciplina, do toque preciso, da leveza das mãos sobre o teclado.

Passado o ímpeto inicial, o despertar da sexualidade, a gravidez e o piano passaram a ocupar quase todo o espaço no desejo e nas atenções de Camila.

Gouveia levou um susto quando Anita desligou o telefone e lhe disse que o bebê iria ter o nome do avô. Era o paterno, para alívio de Cornélio. Se chamaria Carlos Augusto, mas Camila e Sérgio só o chamavam de Charlie. Os avós só o conheceriam pessoalmente no Natal, quando a família viesse ao Brasil.

No fim do verão, Charlie voltou com a mãe para Londres, deixando os avós saudosos, depois de dois meses de convívio diário. Sérgio voltou antes porque tinha que trabalhar e Camila ficou mais um mês com Charlie e os pais, esperando o fim do inverno europeu.

Depois de um mês em Londres, Camila insistiu tanto que Anita teve que ir. Mesmo com a ajuda de uma *nanny* inglesa e de Sérgio, que passava o dia na Embaixada, ela estava se sentindo muito só e deprimida. Charlie chorava muito, era manhoso, Camila estava nervosa e exausta com tantas noites em claro, na frieza e umidade de uma cidade estranha. Nenhuma mãe resistiria ao apelo. Por sua vontade, Anita já teria embarcado com o neto no final do verão.

Anita ficou em Londres até junho, foram dois meses deliciosos de primavera, apesar de um ou outro choro de Charlie. Sérgio, como sempre, um gentleman impecável, coitado, tinha muito boa vontade mas nenhuma habilidade com bebês. Camila havia melhorado, estava mais animadinha, mas ainda não estava como era antes. Se sentia cansada, desanimada, pouco tocava no piano, para não acordar Charlie. Anita administrava a casa, fazia a comida, dava instruções à *nanny* Annabel, cuidava do neto, da filha e do genro. Estava cansada, mas muito feliz com a nova fase de sua vida.

Durou pouco a separação do neto. Já no início de julho, fugindo do calor londrino, Camila e Charlie vieram para o Rio de Janeiro. Sérgio ficou trabalhando em Londres.

No início de setembro voltaram para casa, deixando Anita devastada de saudades. Prometeu que iria a Londres para o primeiro aniversário de Charlie, em outubro. E foi.

Mas Camila não estava bem. Teve vários desmaios, aparentemente sem motivo. Voltou a ter enjoos, mas com certeza não estava grávida de novo. Sentia dores de cabeça, perdeu o apetite. Não tinha ânimo nem para tocar piano. O médico pediu uma série de exames, e o diagnóstico era o pior possível, confirmado por uma segunda e uma terceira opinião: Camila tinha um tipo raro de leucemia, estava condenada a alguns meses de vida.

Desesperado com a notícia, Gouveia partiu para Londres. Foram os meses mais tristes de suas vidas, vendo sua bem-amada Camila definhar, passar por transfusões de sangue diárias, sofrendo brutais tratamentos químicos que a faziam vomitar e a deixaram careca. Foram meses de muita tristeza e muito sofrimento, em que Anita teve que assumir as funções de mãe, cuidando de Charlie e administrando a casa. Além de consolar Gouveia e Sérgio.

Gouveia ficou devastado. Como médico, tinha ainda maior consciência da sentença de morte que pesava sobre sua única filha. Sua vida estava acabada, pensava. Com 52 anos, uma carreira brilhante, dinheiro, prestígio e saúde, mas só pensava em morrer.

Camila só voltou ao Brasil morta, aos 22 anos, cinco meses depois de diagnosticada. No mesmo avião, Sérgio, Gouveia e Anita levavam Charlie para o sepultamento da mãe.

Sérgio teve uma semana de licença para ficar no Rio, mas em seguida deveria voltar para Londres com Charlie, seu único consolo para o inconsolável vazio deixado por Camila.

Por mais que Gouveia e Anita insistissem que estariam em melhores condições de criá-lo, pelo menos nos primeiros anos, no Rio de Janeiro, onde o clima era melhor, onde teriam muito mais tempo para dedicar ao neto, que ainda teria um avô pediatra em casa, Sérgio estava irredutível. Charlie voltava com ele. Os avós eram muito bem-vindos a acompanhá-lo, seria muito bom para o menino, mas tinham suas vidas e seus compromissos, não podia lhes pedir isso.

Com 42 anos, Anita sentia um abismo se abrindo aos seus pés, como nos romances que lia na adolescência. O que lhe restava de Camila e da vida, além de Charlie? Como Sérgio o criaria sozinho? Com uma *nanny*?

A avó paterna, Irene, era viúva e vivia entrevada em uma cadeira de rodas, depois de um pavoroso acidente na serra de Petrópolis. Em nada poderia ajudar.

Gouveia estava um farrapo, perdera muito peso, chorava muito, foi visitado por incontáveis amigos e ex-pacientes, pais e filhos que ele havia curado de doenças, aliviado o sofrimento, ajudado a manter saudáveis. Ele não poderia simplesmente ir para Londres, deixando dezenas de crianças sem os seus cuidados. E de que adiantaria? Já que não morreria, por que viver onde não conhecia ninguém, não falava a língua e não tinha possibilidades de exercer a sua profissão? Se não tinha mais a sua filha, o melhor a fazer era cuidar dos filhos dos outros.

Concordaram que Anita voltaria com Charlie para Londres e ficaria os três meses iniciais, até que a vida da casa se normalizasse. E que Sérgio conseguisse uma nova *nanny*, ela a aprovasse e, como avó e mulher de pediatra, a orientasse sobre como criar o seu neto.

Durante três meses, o menino cresceu saudável, com a avó e a *nanny* Annabel, uma jovem escocesa de pele alva e cabelos ruivos, até graciosa, mas que não parecia muito confiável. Dava uns olhares estranhos para Sérgio. E não parecia muito amiga de banhos.

Sérgio, coitado, chegava em casa cansado, bebia um pouco, cochilava em frente à televisão, e acabava dormindo. Anita descalçava os sapatos dele, colocava os seus pés no sofá e o cobria com uma manta. E o beijava de leve na testa, como fazia com Charlie, murmurando *"sweet dreams"*.

Nos sábados e domingos, quando o tempo permitia, levavam Charlie para passear no Hyde Park, deitavam-no em um pano sobre a grama e o deixavam respirar o ar puro de Londres, enquanto tomavam chá gelado e viam passar casais de patinadores entre cavaleiros e amazonas, assustando seus belos animais.

Foram tristes e cinzentos os primeiros fins de semana, mas com a chegada do verão, do calor, do sol e da luz, a grama e as árvores dos parques ganharam um novo brilho. Mesmo com a temperatura ainda em 12 graus, vários ingleses já se deitavam de sungas e maiôs às margens do Tâmisa, em busca de sol para seus corpos leitosos, espantava-se Anita.

Não só três, como quatro e cinco meses se passaram rapidamente. O outono encontrou Sérgio e Anita empurrando o carrinho de Charlie pelo parque coberto de folhas vermelhas, amarelas e alaranjadas. O menino estava tão apegado a ela, e ela dedicava todo o seu tempo e seu carinho a ele, que Sérgio se preocupava com a volta de Anita ao Brasil.

Mas só raramente este assunto era tocado. Com certeza Charlie não poderia estar em melhores mãos, de alguém educada, inteligente e experiente, do seu próprio sangue, e ficaria profundamente abalado sem a avó, e mãe. A *nanny* Anabell fora despedida por Anita, era pouco higiênica e meio folgada, e a nova, mais séria e madura, era miss Simpson, uma gorduchinha de Brixton.

No Royal Albert Hall, Sérgio e Anita assistiram, aos prantos, ao concerto da nova sensação do piano, a jovem argentina Marta Argerich, sem deixarem de pensar em Camila um segundo, era quase como se a vissem e ouvissem ali. Voltaram para casa de mãos dadas e cabeças baixas, sem dizer uma palavra.

No início do inverno, Londres sob chuva, frio e vento, foram ao aeroporto de Heathrow buscar Gouveia, que chegava para uma visita de uma semana. Seis meses haviam se passado, Charlie estava gorducho e rosado, nos braços de miss Simpson. Anita mostrava ótima aparência, mais magra, com os cabelos mais claros e curtos, numa capa preta muito elegante. Sérgio, gentilíssimo, também parecia mais bem-disposto, havia a possibilidade de uma transferência para o consulado de Paris, a vida continuava.

Também para Gouveia. O consultório, as visitas, os hospitais, as preocupações com os filhos dos outros, ocupavam o espaço deixado por sua filha. Difícil era quando chegava em casa, à noite. Terríveis, os fins de semana. Ansiava por um chamado de urgência para tirá-lo da sua solidão e de suas lembranças. Sentia muitas saudades de Anita, que expressava em longas cartas semanais de estilo rebuscado. Mas estava voltando à praia, à peteca, indo ao futebol com os amigos, já estava recuperando sua cor, e até engordara um pouquinho.

Anita o achara mais gordo do que nunca. E, pela primeira vez na vida, achou ridículo aquele topete de brilhantina que conhecia desde adolescente. Ainda mais em um homem de 52 anos. Para piorar, Gouveia havia tingido os cabelos de um pavoroso tom acaju.

Foi uma semana difícil para Anita.

Em Londres, ao mesmo tempo em que ocupava seu tempo com o neto, Anita começou a se preocupar mais com ela mesma, comprou roupas mais modernas, saias mais curtas, clareou os cabelos originalmente castanhos para cor de mel e se olhava no espelho como quem via a filha, uma bela mulher de 43 anos.

Sérgio notou, e estimulou, cada mudança da sogra. Ela era impecável, não só nos cuidados com Charlie, mas nas atenções com ele, sempre discreta e educada, uma lady. Deu-lhe um lindo vestido longo de veludo negro, para que ela o acompanhasse a uma recepção no Palácio de Buckingham. Se permitiu até brincar com colegas da Embaixada:

"Quem não gostaria de ter uma sogra assim?"

Ou a apresentando a colegas estrangeiros:

The most gorgeous mother-in-law in town.

Anita enrubescia, feliz. Era um privilégio ter um genro tão elegante e cavalheiresco, um homem tão bonito e inteligente, com tanto futuro. Não passava pela sua cabeça voltar a morar no Brasil.

A chegada de Gouveia obrigou Anita a profundas reflexões. Sentia falta das amigas, embora mantivesse intensa atividade epistolar, e de alguns poucos parentes. Do dia a dia com Gouveia, não. Não conseguia se imaginar de novo naquela casa, vivendo o vazio de Camila, ao lado daquele homem, com quem já vivera uma vida, lhe parecendo um estranho, com aquele topete indecente. Nunca fora apaixonada por ele, começara o namoro por insistência dele, casara-se com 20 anos por pressão das duas famílias amigas, em 1941. Logo Camila ocupara todo o seu espaço de afeto e sua vida tomara outro rumo.

Aprendera a entender e a respeitar Gouveia, que era um bom homem, sério, generoso com ela, sempre muito gentil. Mas amor era outra coisa. Até mesmo beijá-lo sempre fora difícil para ela, o perfume de brilhantina a enjoava. Com o tempo, para alívio de Anita, o sexo foi se espaçando. Se habituara a viver, como sua mãe e sua avó, a vida de seu marido. Mas agora era diferente, ela tinha outras possibilidades, ainda tinha bastante juventude, e já muita experiência, além de muita vontade de viver, viajar, comer e se vestir bem. De sexo e romance. Como toda mulher, não sabia bem o que queria. Mas não queria voltar ao Brasil.

Gouveia voltou sozinho. Anita decidiu ficar em Londres e seduzir o genro.

Não seria difícil. Com um cenário tão favorável, uma mulher bonita e elegante disposta a dar e a ter prazer, e um homem tão cheio de vigor e desejo, com tanto futuro, seria inevitável. Para o bem de Charlie.

Na sala aquecida pela lareira, enquanto o bebê dormia no quarto, Sérgio e Anita tomavam vinho aconchegados no sofá diante da televisão. Sob o mesmo cobertor, os corpos de genro e sogra se encontraram no calor da noite. E nas noites seguintes.

No Rio, por carta, Gouveia recebeu a notícia com grande dor, mas sem muita surpresa. Vendo os dois juntos em Londres, se sentira um intruso. Sabia que era só uma questão de tempo e que não poderia fazer nada para evitar. Depois de perder a filha, nada mais o abalaria.

Vendeu a casa, e com ela muitas lembranças dolorosas, e mudou-se para um apartamento na avenida Atlântica. Dedicou-se ainda com mais afinco à clínica, passou a atender também no posto médico da favela da Praia do Pinto, na Lagoa. Trabalhava cada vez mais e dormia cada vez menos. Até que uma noite sentiu falta de ar e uma pressão no peito e achou melhor chamar o seu colega e vizinho, dr. Romero, um cardiologista. Na clínica fizeram um eletrocardiograma, que revelou uma arritmia, controlada com medicação. Voltou para casa com recomendação de pelo menos duas semanas de repouso e alimentação sem sal e sem gordura, medindo a pressão diariamente.

A conselho de Romero, Gouveia fez uma viagem de navio a Lisboa, Barcelona, Marselha e Gênova, e na volta conheceu a condessinha Franziska Zwarowski, uma jovem encantadora da nobreza polonesa falida, que viajava com a família, fugindo do comunismo.

Uma gripe os aproximou. Gouveia a curou e ganhou seu coração. E de sua família. A mãe viúva, a tia e os dois irmãos o consideravam um homem muito educado e cavalheiresco. Embora não dominasse o polonês nem o inglês, Gouveia falava ótimo francês, distribuía galanteios não só a Franziska e sua família, mas por todo o navio. Se sentia renascer no deque do SS Lavoisier, com o vento quente dos trópicos desmanchando seu topete de brilhantina, que Franziska adorava. Convenceu-o a deixar crescer um bigodinho e dizia que ele estava a cara do príncipe Obolenski. Mais bonito, é claro.

Já desembarcaram na Praça Mauá como namorados, sob as bênçãos da família, que ainda mantinha os hábitos da nobreza de um bom casamento. Naquele momento de dificuldades, sem dinheiro, sem conhecer ninguém, numa terra estranha, o galante dr. Gouveia era um enviado de Deus.

Franziska também foi um anjo em sua vida. Linda, loura, jovem, culta, educadíssima, encontrara nele o pai que não tinha, seria eternamente grata por ele ter abrigado a sua família nos primeiros tempos. Seria fiel e amorosa com ele até o fim de seus dias. Os trinta anos de diferença entre eles nunca foram um problema, mas uma solução: com ele, Franziska amadureceu; com ela, Gouveia rejuvenesceu. Tiveram duas filhas bonitas e saudáveis — uma advogada e outra bailarina —, foram muito felizes durante muito tempo. Gouveia morreu aos 83 anos, de causas naturais, dormindo.

Anita e Sérgio provocaram um pequeno alvoroço no Brasil quando chegaram as primeiras notícias do novo casal. Mas em Londres eram apenas *Mr. and Mrs.* Ramos Baptista, presenças constantes e bem-vindas no circuito diplomático, um casal elegante e apaixonado. Ficaram mais quatro anos em Londres e Sérgio foi promovido e transferido para a Embaixada do Brasil em Genebra, onde viveram felizes por vários anos, enquanto Charlie crescia e se educava nos melhores colégios.

Criado com todos os mimos pelo pai e pela mãe-avó, Charlie sempre foi muito delicado e feminino, gostava de brincar com bonecas, de vestir fantasias e de ouvir e contar histórias.

Com 12 anos, quando foi para o internato em Lausanne, Charlie se mostrou um ótimo aluno, inteligente, sensível e já indisfarçavelmente gay. E se sentia muito bem assim, com o apoio do pai e da avó. Adolescente, gostava muito de música e mostrava facilidade para o piano. A avó sonhava com um futuro concertista, mas Charlie demonstrava muito mais interesse pelas revistas de moda, o que a levava a imaginá-lo um criador de alta-costura. Mas depois que se formou na Suíça, Charlie preferiu voltar ao Brasil e, como o pai, seguiu a carreira diplomática.

O pulo da gata

A grande heroína de Rosângela era a americana Heidi Fleiss, que ficou conhecida nos anos 90 como "The Hollywood Madam".

Rosângela tinha 20 anos quando Heidi, de 28, foi presa em Los Angeles e o mundo conheceu a história da filha de um rico e conceituado médico de Beverly Hills, criada como uma JAP (Jewish-American Princess) e educada nos melhores colégios, que realizou o seu grande sonho: ser uma madame. Não uma madame fulano de tal da sociedade, mas o eufemismo que a imprensa usava para cafetina.

Foi um banquete para os tabloides de escândalos. Hollywood nunca mais foi a mesma depois que Heidi foi presa. Nem Rosângela.

Filha de um deputado federal goiano e divorciado, de fortuna duvidosa e vida airada, Rosângela tinha o mesmo sonho de Heidi. E, pelos hábitos e gostos de seu pai e dos amigos dele, Brasília era a cidade certa para a futura madame Rosy.

Como estudava em Los Angeles, mais do que acompanhar o caso diariamente nos jornais e na televisão, Rosângela mergulhou na vida de Heidi — sua trajetória, seus clientes, seus métodos, seus lucros fabulosos. Seu poder. Se alguém lhe perguntasse o que queria ser quando crescesse, não hesitaria: a Heidi Fleiss de Brasília.

Alta e magra, nariguda, mesmo sem ter traços bonitos, Heidi era muito estilosa e atraente. Elegante, fria, forte, era uma mulher de palavra: mesmo dona de uma das mais preciosas e disputadas agendas de telefones da América, não entregou nenhum de seus clientes. Alguns foram revelados, em off, pela polícia. Outros vieram espontaneamente à luz, como o pândego Jack Nicholson, presença obrigatória em qualquer caderninho do gênero.

Perguntado sobre o que levaria homens como ele, Warren Beatty, Mick Jagger, Rod Stewart — símbolos sexuais desejados por mulheres do mundo inteiro, muitas até pagariam para comê-los — a pagar garotas de programa:

"Ora, nós não as pagamos para irem para a cama conosco. Pagamos é para depois irem embora."

O sistema de recrutamento de Heidi era infalível. Frequentadora da noite de Los Angeles, conhecia os clubes onde estavam as garotas mais bonitas, a nata da multidão de aspirantes ao estrelato, todas bebendo, fumando, cheirando pó e tomando ecstasy, quase todas dispostas a quase tudo para chegar lá. E, muitas vezes, lá era apenas a cama de um secretário ou assistente de um popstar. Eram poucas as que chegavam aos verdadeiros astros, como Nicholson, Jagger e Beatty, mas eles não podiam frequentar esses lugares e muito menos ser flagrados com garotas bonitas em lugares escuros e escusos.

Garotas lindíssimas, vestidas de grifes, com pernas intermináveis, dentes quase azulados de tão brancos, cabelos, peitos e unhas enormes, e uma disposição ilimitada para agradar às pessoas certas: tudo que aqueles cafajestes de Hollywood gostavam. E pagavam com prazer.

Não só as estrelas propriamente ditas, mas toda a fauna de predadores que os circundava — agentes, produtores, advogados, empresários, assistentes, secretários, executivos de cinema, de televisão e de gravadoras, jornalistas de entretenimento —, gente que consumia gente. O mercado de carne humana estava sempre renovado e aquecido em Hollywood.

Para uma brasileira, como Rosângela, era estranho, parecia sem sentido a polícia prender uma mulher porque intermediava encontros profissionais entre adultos. O que o Estado tinha a ver com isso? O que eles faziam entre si era problema, ou solução, deles. No Brasil ninguém entenderia isso.

Mas nos Estados Unidos a legislação era diferente, misturando puritanismo e hipocrisia. À exceção do estado de Nevada, onde fica Las Vegas, qualquer forma de prostituição ou agenciamento é crime em todo o território americano, que pode resultar em muita chateação, multa e cadeia. Por isso, a prostituição tem que ser exercida com cuidado e discrição nos Estados Unidos. É uma atividade secreta, ilegal e de risco. Por isso movimenta tanto dinheiro. Prazer proibido é mais caro.

Assim como agentes disfarçados vendem droga e prendem os eventuais compradores, em vários estados americanos, policiais femininas se fazem passar por garotas de programa, abordam transeuntes e oferecem seus serviços. Se eles aceitam, sacam da carteira e lhes dão voz de prisão. São levados para o distrito policial, onde são interrogados e fichados e se inicia um processo judicial. A maioria dos juízes considera legítimo o procedimento da polícia e condena os acusados a penas brandas, mas humilhantes.

Rosângela era sexualmente tímida, dificilmente se interessava por rapazes da sua idade. Preferia homens mais velhos, mais experientes, mais canalhas. Mas ainda tinha medo deles. E com medo jamais seria uma Heidi Fleiss. Aos poucos, foi entendendo que o seu fascínio por Heidi tinha muito mais a ver com poder do que com sexo.

Se era forte e poderosa como mulher de negócios, sexualmente Heidi era fraca, se deixava dominar por homens estúpidos e pervertidos, abusava do álcool e da cocaína, se deixava abusar por eles. Era o que Rosângela lia nas revistas de celebridades. Sexo bom para Heidi era o que as suas meninas faziam com os homens ricos, bonitos e vitoriosos de Hollywood, a 2 mil dólares por programa, menos trinta por cento de comissão de agente para Heidi.

Heidi visitava os clubes, fazia uma seleção de garotas estonteantes e as convidava para uma festa em sua casa, onde estariam seus Jacks, Warrens e Micks, agentes, produtores, diretores e executivos. Quando chegavam às festas, regadas a álcool e secadas a cocaína, elas encontravam muitos figurões, ou nem tanto, como os promoters, amigos, secretários e assistentes que ajudaram Heidi a trazer os astros ao seu paraíso hollywoodiano. Por 2 mil dólares, o cliente podia beber, cheirar e comer todas, ou qualquer uma.

Na festa, anfitriã perfeita, Heidi consultava os clientes famosos sobre suas preferidas entre as presentes, fazia as apresentações, desejava-lhes felicidade. O resto era com eles. Depois que o último par saía, Heidi fazia as contas: 12 garotas, 24 mil dólares em uma noite. Uma boa noite, 7.200 dólares sem sair de casa nem trepar com ninguém.

No dia seguinte, cada uma das convidadas que havia saído com um cliente recebia um buquê de flores em sua casa, com um agradecimento de Heidi e um cheque de 1.400 dólares no envelope. Depois, quando alguma telefonava ofendida, jurando que não era garota de programa, que não fora para cama com aquele homem por dinheiro, mas porque estava louca por ele, Heidi explicava. Sabia que ela não era puta, mas estava propondo um novo jogo, que unia o divertido ao lucrativo, o útero ao agradável. Os clientes já haviam pagado e estavam muito satisfeitos. Se estava tão ofendida, a garota poderia devolver o cheque. Nenhuma devolvia. Todas queriam mais. E não necessariamente com assinaturas famosas. Heidi começava a formar o seu plantel de máquinas de fazer dinheiro.

Assim começava a história de Heidi Fleiss, que Rosângela Guedes acompanhou, eletrizada, nos meses seguintes. Chegou até a ir à Corte de Justiça de Beverly Hills, onde Heidi se apresentaria para depor, só para vê-la de perto. Em liberdade sob fiança, ela desceu de um carro negro, de tailleur negro, com dois advogados e um segurança, todos negros, de ternos negros. A coisa estava mesmo preta para Heidi. Entrou rapidamente no tribunal, com passos firmes e rápidos, nariz para o alto, e imensos óculos escuros. Foi a única vez que a viu.

Três anos depois, Heidi ainda estava na cadeia e Rosângela voltava a Brasília, formada em relações internacionais e putaria.

Com 24 anos, madame Rosy estava pronta para entrar em campo.

"Uma empresa de serviços", era o que Rosângela dizia, sem mentir, aos que lhe perguntavam sobre o que faria em Brasília. E começou a frequentar os clubes noturnos, onde, diferente de Los Angeles, profissionais se misturavam a amadoras na pista e na cama dos políticos, empresários, funcionários e lobistas. Os métodos de Heidi teriam que ser adaptados à realidade brasileira, onde a prostituição não era criminalizada. A oferta era abundante, tanto entre as profissionais como entre as amadoras, que se tornariam clientes, e algumas até amigas, de madame Rosy.

Uma cafetina de 24 anos, moça de família, formada no exterior, que audácia, hein?, pensava Rosângela no espelho, experimentando novos looks para sua nova atividade.

Com menos de 1,60 metro, moreninha e magrelinha, de peitos pequenos e quadris estreitos, pouca bunda, cabelos rebeldes, óculos de miopia, Rosângela sempre soube que não poderia contar muito com sua estampa para impressionar os homens. Mas a carinha — Rosângela se sorria no espelho, beliscando as bochechas como um bebê — era mesmo uma bonequinha, com seu narizinho fino e empinado, imensos olhos pretos, e uma boquinha de lábios carnudos, sempre rubros de batom, cobrindo dentes perfeitos e levemente projetados para a frente.

Cortou os cabelos bem curtinhos, como Mia Farrow e Elis Regina em velhas fotos, que davam uma moldura entre o punk e o chique para seu rosto ovalado. Mandou colocar lentes de miopia nos óculos modelo gatinho dos anos 50, de plástico colorido, comprados em brechós de Los Angeles. Madame Rosy entrava em cena.

Os últimos meses foram dedicados a escolher e manter contato intenso com seus dois colaboradores mais importantes, profundos conhecedores da fauna noturna e do mercado sexual brasiliense: a bicha Pauléte, ex-cabeleireiro, ex-maquiador, atual intermediário sexual e segurança, pois é fortíssimo, malhador compulsivo, com 1,90 metro de altura; e a maranhense Zélia das Mercês, baixinha e atarracada, com feições indígenas e cabelos crespos, conhecida como Zelão, uma experimentada cafetina de Brasília, interessada em uma parceira com as amizades, os contatos, o dinheiro, as costas quentes e a audácia da filha do deputado Fabão Guedes.

Nas missões de recrutamento Rosy se arrebentou de dançar nas pistas com Pauléte, enquanto Zelão revia clientes e fazia novos contatos com profissionais. Em Brasília o método de Heidi fracassaria: que garota vai querer dar para um político de graça? Isto só funcionaria com estrelas de televisão, do futebol e da música pop, homens tidos como bonitos e desejados, que gostam de garotas de programa. Mas esses não vão muito a Brasília, e quando vão, evitam festas, preferem recebê-las nas suas suítes de hotel, como uma pizza. Era um segmento lucrativo, mas muito competitivo.

O passo seguinte foi um seminário na Câmara dos Deputados. A pretexto de uma pesquisa para um fabricante de lingerie e guiada por seu amigo de adolescência Rogerinho, que se assumira como gay e era assessor parlamentar no gabinete de seu pai. Era educadíssimo e profundo conhecedor dos meandros, bastidores e das fofocas da casa. Foi informada detalhadamente sobre possíveis clientes em todas as bancadas; Rogerinho dizia que na horizontal não há ideologia.

Passeavam pelo plenário de braços dados, trocando risinhos e piscadelas. Aquele gosta muito. Aquele outro, de gravata abacate, gosta de surubas, dizem que é bi. Aquele coroa, de terno azul-claro brilhante, gosta de menininhas. Aquele de cabelo acaju... epa! São muitos de cabelo acaju, quase tantos quanto os negros como as asas da graúna, Rogerinho debochava. Rosy ria e anotava tudo em seu caderno. Foram percorrendo bancada a bancada, nome a nome, eliminando os improváveis ou com informações escassas. E, com a ajuda dos muitos contatos de Rogerinho, detalhou as preferências dos devassos, dos putanheiros, dos come-quieto, dos comedores de gente de todos os estilos, gerações e credos políticos, dezenas deles, muitos do círculo de amigos e correligionários de seu pai, frequentadores de sua casa.

Os lendários almoços de domingo à beira da piscina do deputado Fábio Guedes se tornaram uma instituição em Brasília, reunindo lobistas, altos funcionários e políticos de todos os partidos para troca de ideias, construtivos diálogos e fartos comes e bebes. Quantos acordos políticos, quantos negócios, quanta bandalha foi combinada e fechada ali?, pensava Rosy, enquanto reconhecia no site da Câmara as fotos de muitos participantes do "Domingão do Fabão", como ficaram conhecidos os almoços na mansão à beira do lago Paranoá. Seriam seus clientes preferenciais. E, claro, jamais a veriam, só falariam com ela ao telefone.

A administração direta das meninas e o recolhimento do dinheiro seriam feitos por Zelão e Pauléte. Rosy faria as relações públicas com os clientes, só por telefone, e recrutaria moças de família, universitárias, que dançavam na noite e buscavam um casamento rico, e também as ratinhas, vagabundinhas e piranhinhas que estavam a um passo da prostituição, garotas de muitas ambições e poucos escrúpulos, abundantes em Brasília. Garantiria às patricinhas um mínimo de 1.500 reais, e mais, elas poderiam escolher, usando o Anuário da Câmara como um book de clientes, para quem dariam, e por quanto. O papel de Rosy era negociar e juntar as duas pontas. Zelão e Pauléte faziam o resto. Tudo no mais absoluto sigilo, num apartamento discreto de um conjunto modesto, mas luxuosamente mobiliado e equipado.

Equipadíssimo, com microfones e câmeras de última geração, microscópicos, incrustrados e invisíveis em pontos-chave do quarto, da sala e do banheiro, operados remotamente por outro amigo de adolescência, Rick Jordan, filho de um executivo americano, que havia se tornado um expert em eletrônica, um nerd obcecado por tecnologia, que vibrou quando Rosy lhe expôs os seus planos. Ele monitoraria as conversas e a fudelança de seu carro, estacionado em frente ao prédio, com as antenas apontadas para o apartamento 101, gravaria e arquivaria tudo num HD. Zelão lhe informaria os horários e a agenda dos encontros. Com codinomes, é claro.

O deputado Rangel seria o Raposão; o deputado Figueira, o Urso; o senador Fiúza, o Ratazana, e assim por diante. Rosy e Pauléte se divertiam fumando maconha e atribuindo codinomes aos futuros clientes no Anuário da Câmara. Mas não só usariam nomes de animais, também os étnicos, como o Mexicano, o Turco, o Alemão, o Japa... epa! Só as bancadas de São Paulo e do Paraná tinham mais de dez clientes potenciais com este perfil, se divertia Rogerinho.

Rosy dividia as suas atividades entre o que chamava de self-service, ou bufê, e o serviço à la carte, e eventualmente a delivery em hotéis e motéis, mercado muito competitivo, dominado pela internet. O mais lucrativo era o self-service, quando ela alugava por uma noite uma bela casa, cada semana uma diferente, onde promovia festinhas com número certo de casais, 15 ou vinte garotas e clientes, no máximo, que se escolhiam entre si, como em um bufê humano, sem que ninguém terminasse sozinho, apenas uns com mais e outros com menos sorte. A alta rotatividade de garotas, clientes e endereços era um dos segredos do sucesso dos bufês de Rosy. Os telefones para os pedidos à la carte eram constantemente trocados e informados aos clientes, e só a eles, com a recomendação de sigilo absoluto, para sua própria segurança, pedia Rosy.

O serviço à la carte era customizado, os clientes pediam o que queriam, ou Rosy oferecia as novidades, como um maître oferecia os pratos do dia, as carnes frescas, de acordo com as preferências de cada um, que ela aprendeu a conhecer. E como!

Tomando Coca-Cola e comendo chocolate, como dois adolescentes travessos diante da TV, Rosy e Rick rolavam de rir com as performances sexuais grotescas de algumas excelências, debochavam dos paus pequenos, dos ejaculadores precoces, dos brochas, dos pervertidos, chegavam a sentir pena de algumas meninas. Mas ninguém estava ali obrigada, eram fodidas, sim, mas muito bem pagas, riam. Mas também ficavam muito excitados com as seleções que Rick fazia dos melhores momentos dos melhores pares, alguns jovens deputados cheios de músculos e vigor, garotas bonitas e tesudas, um ou outro coroa mais charmoso mostrando sua experiência com uma mulher nova, bonita e carinhosa, que, como no xote de Zé Ramalho, faz o homem gemer sem sentir dor. Foram tardes inesquecíveis trancados no quarto de Rick, que eles chamavam de Central da Putaria Digital.

Este era o lazer. O trabalho seria selecionar, principalmente nas gravações de áudio, as informações importantes, as fofocas, as acusações, sobre os próprios clientes. Além de sexo, uma parte dos homens quer carinho e aceitação, alguém para ouvir suas queixas, bravatas e conquistas, ou, melhor ainda, as informações que os boquirrotos ofereciam sobre os seus adversários e aliados. Um arsenal de venenos, invejas e traições. Nitroglicerina pura. Como dizia Nelson Rodrigues, se todo mundo soubesse da vida sexual de todo mundo, ninguém falaria com ninguém.

Rosy sabia. Não de todos, mas de muitos, que se achavam muito importantes e eram tão vaidosos e confiantes que jamais imaginariam que o ninho de amor onde exerciam sua macheza, ou nem tanto, estava cheio de microfones e câmeras.

Quando descobrissem, seria tarde demais, Rosy já estaria longe, em Paris, ou no Caribe, dando as cartas. Por e-mails. Fotos. Vídeos. Áudios. E o número de sua conta bancária num paraíso fiscal com uma cifra ao lado. A chantagista adotaria o nome de guerra Pink.

Mas antes havia muito trabalho pela frente, na criação de um banco de dados que geraria os dossiês que os parlamentares, jornalistas, lobistas e empresários tanto amam e vivem trocando entre si. Todo cuidado seria pouco.

Tudo quase foi por água abaixo quando, pouco antes da abertura de um dos bufês, um convidado importante e bastante paranoico, ou apenas cauteloso e experiente, um ex-delegado com vários rabos presos, casado com uma mulher feroz e vingativa, telefonou para Rosy avisando que mandaria uma equipe de sua confiança para fazer uma varredura na casa, só por via das dúvidas:

"A bruxa anda solta em Brasília."

Rosy ainda tentou argumentar que a casa era alugada, que ninguém sabia o que aconteceria ali, todas as providências de segurança e sigilo haviam sido tomadas. O pessoal de serviço — meninas, inclusive — seria conduzido em vans de vidros fumê; só saberiam o endereço quando chegassem lá. Em vão.

"É, mas eu já combinei com o pessoal, eles já devem estar a caminho, não tenho mais como falar com eles. Bem, já que vão estar lá, que façam logo a varredura, não leva mais do que vinte minutos. Depois nos vemos lá", se despediu animado.

"OK, vou avisar à segurança para liberar a entrada deles", Rosy se despediu, "mas não se atrase, a festinha está cheia de novidades, e você sabe, quem chega mais cedo fica com os melhores bocados..."

Imediatamente mandou que Rick fosse voando para a casa e desativasse todo o equipamento que havia instalado, sem deixar vestígios. Sem perguntas. Era uma emergência. Quando os dois varredores chegaram, a casa já estava totalmente limpa. Ufa! Não convidaria mais aquele deputado, que recebeu o codinome de Varredor, muito menos o atenderia no serviço à la carte. Já pensou se ele cisma de fazer uma varredura no apê? Ele só poderia ser cliente da delivery, em um motel, e olhe lá. Era melhor não arriscar.

Em menos de seis meses Rosy já tinha material para abalar a República, ou pelo menos provocar sérios danos a dezenas de parlamentares, a maioria casados, vários ladrões, muitos mentirosos, e quase todos mulherengos contumazes. O problema é que ela até já se afeiçoara a alguns deles, só por telefone, é claro. Se tornou uma espécie de confidente, com sua voz doce, seu bom humor permanente e sua malícia na dose certa. Era, ou pelo menos soava, tão confiável e sedutora, que vários insistiam em marcar um programa com ela, alguns até lhe pediam para dar seu preço, sem limites. Outros se contentariam só em conversar, mas ao vivo.

Em vão. Ela sequer dava a sua descrição física, apesar de eles implorarem, "por motivos de segurança". Os gagás, os garanhões e os autoritários eram chatos, mas alguns eram tão carentes, tão babacas, tão provincianos e deslumbrados com o "pudê", que até chegava a sentir alguma pena deles. E dela mesma. Porque eles a lembravam de seu pai, no início da carreira política.

E mais ainda quando os via, com suas mulheres gordas, cafonas e cheias de joias, nos domingões do Fabão. Eles nunca imaginariam que aquela punkzinha de piercing no nariz (ah, se soubessem que também tinha nos mamilos), de shorts, camiseta e havaianas, era a Rosy de suas fantasias. A sua mercadora de ilusões. Olhando o lago tranquilo e o horizonte panorâmico de 360 graus de Brasília, os coitados nem desconfiavam da tempestade que se armava em discos digitais, num quarto de solteiro de uma casa no Lago Sul. E breve começaria a desabar sobre algumas cabeças escolhidas. E ricas. De ladrões. De corruptos. De mulherengos. Assim que Rosy voasse para Paris e virasse Pink, a vingadora.

Não, o objetivo de Pink não seria fazer justiça informal em nome do povo oprimido, enganado e roubado, como faziam os velhos guerrilheiros dos anos 70. Era ficar rica com 25 anos e desfrutar a vida, estudando, viajando, namorando e depois formando uma família honesta, como qualquer moça de sua classe, no seu tempo.

A vingança seria contra seu pai.

Rosy sabia que aquele dia chegaria, mas foi mais cedo do que esperava. A voz grossa, autoritária e inconfundível do deputado Fabão Guedes se apresentando ao telefone, dizendo que seus serviços tinham sido muito elogiados pelo deputado Robson Reis, que tomara a liberdade de dar-lhe o seu telefone.

Fingindo voz rouca e tossindo, em pânico, Rosy pediu desculpas, e que ele acertasse o programa com Zelão no telefone tal. E imediatamente o avisou. Ufa! Seria demais ouvir as paparicações, confidências e cafajestices do canalha fingindo que não o conhecia.

Hesitou bastante antes de dizer a Zelão que avisasse Rick para que fosse gravar o encontro no apê. Ela vomitaria se visse e ouvisse o que ele dizia e fazia na cama com moças mais novas do que ela, o porco. Mas era difícil imaginar que aquelas gravações o embaraçassem de alguma forma, ou lhe provocassem algum dano; pelo contrário, ele se mostraria orgulhoso de sua virilidade sertaneja, afinal, era divorciado, maior de idade e não devia nada a ninguém. Só ao povo que o elegera em sucessivos mandatos.

Grosso, mulherengo e violento, Fabão era um personagem quase folclórico da política. Mas para Rosângela era a memória dolorida do abandono, de surras e humilhações. Do gosto de sangue na boca. De sua mãe sempre chorando. Mandou que Rick gravasse tudo, era um cliente como outro qualquer. Suas performances sexuais não lhe interessavam. Mas o falastrão descontraído e beberrão certamente falaria barbaridades dos colegas e correligionários, das mulheres deles e de suas filhas, faria fofocas e bravatas, invadiria intimidades, denunciaria ladrões, venais e corruptos, menos ele mesmo. Isso, sim, poderia ser de alguma utilidade na hora da vingança de Pink, tomando-lhe algum dinheiro, bastante, antes de intrigá-lo, comprometê-lo e desgraçá-lo definitivamente na Câmara e no partido. O canalha pagaria por sua língua grande.

As meninas de madame Rosy eram instruídas a dar papo, conversar bastante com os clientes, se mostrarem disponíveis para ouvir histórias, mentiras, fantasias, isso era tão importante quanto o sexo, fazia parte do trabalho; homens gostam disso, mais de falar do que de fazer. O controle de qualidade era feito por Rosy, ouvindo e vendo as gravações de Rick. As tímidas, as impacientes, as que não sabiam conversar, mesmo se gostosas, eram dispensadas. E novas eram testadas. Aos poucos ia se depurando o plantel de máquinas de fazer dinheiro — e informações — de Rosy. Uma etapa adiante de Heidi Fleiss.

Estava na hora de chamar Rogerinho, o assessor parlamentar, para o time. Mas sem que ele soubesse, pelo menos por enquanto, que as trepadas também estavam sendo filmadas. Ele analisaria as informações e as cruzaria, organizaria as fofocas, consultaria suas fontes na Câmara, não só palamentares, mas funcionários, jornalistas e lobistas.

Um bom material extra veio de fonte não prevista. Os celulares tocavam sem parar no apê da bandalha. E eles atendiam com naturalidade. Alguns chamados, de tão urgentes, os faziam até interromper as atividades sexuais. Falavam à vontade, certos de que aquela loura idiota ao lado não tinha a menor ideia de que assunto ou com quais pessoas eles falavam. Mas tudo era gravado e analisado por Rogerinho e Rosy, que sabiam quem era quem.

Em seis meses, prazo limite de Rosy, armazenaram um volume colossal de lixo audiovisual, de valor incalculável — o principal objetivo do Projeto Heidi, como escrevera na primeira folha do seu caderno, quando ainda se chamava Rosângela.

Nesse momento-chave, Rosy balançou: o negócio da cafetinagem estava indo tão bem, estava todo mundo tão feliz, ganhando tanto dinheiro, se divertindo tanto, que pensou em continuar, só por mais três meses. As comissões médias de 400 reais em cada programa estavam gerando quase 200 mil reais líquidos por mês, entre festas self-service semanais com trinta casais, média de cinco serviços diários à la carte no apê e outros tantos em missões externas, e a imprevisível delivery. Tudo naturalmente livre de impostos.

Rosy era generosa, ou encontrara uma maneira inteligente de manter a fidelidade e os bons serviços de seus colaboradores. Depois de pagar as despesas, dividia o lucro líquido em cinco partes iguais entre ela e sua equipe, o que havia dado mais de 40 mil reais para cada um no último mês. Rosy estava muito satisfeita com os resultados. Todos estavam satisfeitíssimos. O negócio crescia em proporção geométrica, só uma louca pararia naquele momento.

O jogador não sai da mesa quando está ganhando, dobra a aposta. E, assim, perde sempre, a banca sempre ganha, pensava Rosy, fazendo grande esforço para se livrar da tentação e se manter fiel ao seu projeto, seus prazos, suas etapas e suas metas.

Por isso Rosy ia parar.

Havia pensado muito, desde o início. O problema das cafetinas era parecido com o dos traficantes de drogas. Não duram muito. Quanto mais sucesso fazem, mais visados se tornam. Mais cedo ou mais tarde acabam presos, são denunciados, derrotados por um rival, ou mortos.

Era esse o pulo da gata. Sair no auge do sucesso, do crescimento vertiginoso, sem deixar rastros, sumir em Paris, ou no Caribe, com cópias de todos os vídeos e áudios armazenados em um site secreto, sabe-se lá em que lugar do ciberespaço, e uma conta aberta em um paraíso fiscal.

Seu maior problema no momento seria administrar o entusiasmo e as expectativas de seus colaboradores. Zelão, Pauléte e Rick estavam embalados com o trabalho e os ganhos e nem desconfiavam, nem ninguém poderia, de que a gata pularia do barco em alto-mar. Enlouqueceriam se soubessem. Iam chamá-la de maluca, de mimada, de egoísta, a submeteriam a pressões sufocantes, a ameaçariam. Depois eles entenderiam, e não ficariam mal: poderiam até continuar tocando o negócio sozinhos e dividindo a grana, como uma herança, não para se lembrarem, mas para se esquecerem de madame Rosy. Até brigarem ou serem presos. Aí ela já estaria longe.

Todos os dias Rick fazia um DVD para ela com um *"best of"* e outro com o *"worst of"* do dia anterior, e um CD de áudio integral, que ele nem ouvia, ia direto para Rogerinho analisar. Só estava interessado em imagens em movimento, muito movimento. Rick não era bobo e estava ficando cada vez mais ansioso, louco para saber o que Rosy faria com aquela montanha de lixo. Certamente não seria para transformar em DVDs piratas e vender na feira de Taguatinga.

A pressão crescia, Rick estava começando a fazer perguntas demais, mas Rosy não lhe abria os seus planos, nem poderia. A menos que contasse tudo e o levasse com ela para Paris, ou o Caribe, uma possibilidade que não lhe provocava o menor entusiasmo. Estava mesmo na hora de cair fora.

Claro que ele ficará com todo o acervo, mas sem saber direito o que fazer com aquilo, ou então fazendo péssimo uso, calculava Rosy, concluindo que Rick poderia até criar problemas para ele mesmo, mas em nada iria interferir no seu business.

Com aquela personalidade tão exuberante e comunicativa, Rosy pensava com ironia, Rick não irá muito longe de casa. Ou talvez acabe preso, se fizer bobagens com as pessoas erradas, na hora errada, na cidade errada. Mas ele não é burro. Vai pensar muito antes de fazer alguma coisa. O mais provável é que não faça nada, a não ser divertir os seus amigos.

Rogerinho é o maior problema, mas também é parte da solução, refletia Rosy. Para analisar as gravações, estabelecer as relações entre os personagens e formatar os dossiês. Um sócio secreto, a distância, se comunicariam só de lan houses ou celulares anônimos. Seria seu informante no teatro de operações, mantendo-a atualizada com os boatos e os fatos, os eventos e desdobramentos, sem correr riscos e sem participar diretamente de nenhuma operação, que ela executaria com segurança de seus celulares e de suas lan houses. Montaria com calma os dossiês com a ajuda de Rogerinho, e lhe daria uma generosa comissão. Só para ele Rosy poderá abrir seus planos. Mas não por enquanto, só quando já estiver longe.

A bicha era inteligentíssima, manhosa e malandra, considerava Rosy, e já tinha certeza, ou quase, de que ela usaria as gravações e as análises dele para chantagear políticos, mas não sabia como nem quando, e nem desconfiava de que o primeiro seria o pai dela, patrão dele. E muito menos imaginava como e de onde Rosy iria fazer seus negócios, porque ela vai passar alguns dias em umas cinco ou seis cidades antes de se fixar, com um novo visual e um novo nome em um passaporte português, em Paris. Ou no Caribe.

E começaria a trabalhar. Organizando cuidadosamente os primeiros dossiês com a colaboração de Rogerinho, estabelecendo prioridades, alvos mais fáceis, melhores possibilidades de ganhos. Primeiro os casados e ricos. Sobre Fabão, Rosy não diria nada, nem Rogerinho perguntaria, seria assunto pessoal.

Tudo em absoluta segurança. Os celulares descartáveis, os e-mails temporários e as lan houses eram muito seguros, quase impossíveis de ser rastreados. E, afinal, ela não era uma terrorista, mas estaria lidando com profissionais, bandidos como ela. Só que muito mais atrasados, que trabalhavam com dinheiro vivo, papel e armas de fogo. Suas mulheres, filhos, correligionários e adversários iam receber por e-mail vídeos e áudios constrangedores, vindos de uma anônima lan house, caso não depositassem o resgate na conta secreta de Rosy. Ou melhor, de Pink.

Au revoir, Brasília.

Até breve, papai.

O Édipo feliz

Zanzando pela Rambla de San Josep quase deserta, Jordi se sentou em um banco ao lado de uma barraca de flores, acendeu um cigarro, e disse baixinho, para si mesmo:

"Como pude ser tão louco!"

Aos 35 anos, diretor consagrado de filmes publicitários, Jordi Serrat já realizara três longas de ficção. Modernos e inteligentes, os filmes tiveram boa acolhida de público e a crítica falava de Jordi como um "Almodóvar catalão", uma das melhores promessas do cinema espanhol.

Por muito dinheiro e algumas garantias de liberdade criativa, Jordi acabava de assinar o contrato mais importante de sua vida: para dirigir o filme sobre a vida bagaceira da polêmica atriz de musicais Lupita Valdez, sua mãe.

A ideia fora de seu amigo, roteirista e ex-companheiro de publicidade, Carles Doménec, um louro bigodudo e grandalhão, em permanente atividade criativa. A qualquer hora, em qualquer lugar, tomava notas, gravava, escrevia ideias e situações. Trabalhava praticamente 24 horas por dia, já que a primeira coisa que fazia ao acordar era anotar tudo de que se lembrasse de seus sonhos, talvez ali estivesse uma boa ideia para um filme. Ou um comercial. Carles se dizia um caçador de histórias e trabalhava compulsivamente, era sua forma de não pensar na sua vida e nos seus problemas, criando e desenvolvendo problemas e soluções para vidas alheias, para serem filmados por outras pessoas, com o objetivo de vender produtos e divertir estranhos.

Carles não tinha ilusões. Assim como o teatro é a arte do ator e a televisão, do patrocinador, o cinema é do diretor, mas quem manda é o produtor. O roteirista estava condenado à frustração dos intermediários: nunca o que ele escreveu apareceria na tela. Seria melhor, ou quase sempre pior, do que ele imaginara, mas não seria mais o seu roteiro. Tudo seria mudado, cenas seriam cortadas ou trocadas ao longo da filmagem, diálogos reescritos, boa parte do material filmado cairia na sala de montagem.

"O roteirista tem que aceitar a sua própria insignificância. Não é autor de nada, o diretor faz o filme que quiser. Ou que o produtor mandar. Quem quiser ser autor que vá escrever livros", vociferava, *"pero hay que tener cojones"*. E continuava, como um Sísifo, escrevendo roteiros, sabendo que só uma mínima parte deles chegaria a ser filmada. E quase sempre malfilmada.

Uma possibilidade seria dirigir. Mas para isto Carles não tinha temperamento nem paciência. Só a experiência de ver filmagens bastava para saber que jamais teria saco para as esperas infindáveis entre a iluminação e o grito de "ação". Detestava ensaios e a convivência com atores e seus egos inchados e sensíveis, olhava-os como animais em um zoológico. Para Carles, eram um mal necessário, apenas instrumentos para expressar as suas criações.

Carles era fã ardoroso de Lupita, desde adolescente. Quando conheceu Jordi, na Escola de Cinema i Audiovisuals, morreu de vergonha de cumprimentá-lo com aquela mão que já havia tocado incontáveis punhetas pensando na mãe dele, olhando suas fotos pelada, revendo as cenas tórridas de seus filmes. Jordi era boa gente, um rapaz muito inteligente e criativo, um bom amigo. Deveria ser um pesadelo para ele carregar a história dos escândalos e putarias de sua mãe. E nada melhor do que um filme para exorcizar esses fantasmas.

Foi esse o impulso generoso de Carles ao propor a Jordi a ideia de filmar a vida de Lupita, mas foi xingado de tudo e quase acabou espancado. Mais calmo, Jordi aceitou ouvi-lo. E Carles tentou convencê-lo de que seria a oportunidade única para um acerto de contas com sua mãe, em que poderia revelá-la como ele a via, editar seus conflitos com ela, expô-la como bem entendesse. Seria finalmente o encontro entre eles, um tributo à memória dela. Uma libertação para ele.

"Sim, porque não se pode subestimar o talento e a importância de Lupita, sua liberdade e sua independência numa terra de hipócritas e subservientes", argumentou Carles, "quanta alegria, esperança e paixão ela despertou em tantas pessoas, que tiveram nela uma alegria? Ou um consolo? Por isso era tão querida pelo povo, enquanto a elite a chamava de pornográfica e devassa. Você deve se orgulhar dela".

Jordi ouvia em silêncio, de olhos baixos, como se um filme passasse em sua cabeça.

"Além disso, você vai economizar dez anos de análise, amigo", assegurava Carles.

Jordi disse que iria pensar melhor, de cabeça fria, ver os prós e os contras, mas estava seduzido pelo desafio. Carles deu mais um empurrão:

"Já se passaram mais de cinco anos da morte dela, você já tem o distanciamento suficiente para começar a vê-la como ela era. E ela era uma mulher e tanto, Jordi. Quando estiver pronto me avise, que já tenho o roteiro na cabeça. Começa na plaza Catalunya, com a câmera fechando em..."

"Porra!", interrompeu Jordi, e os dois se abraçaram às gargalhadas.

Dois dias depois, Jordi ligava para Carles querendo conversar sobre o filme de Lupita. Passara os dois dias sem dormir, sem drogas, sem álcool, só fumando e pensando, sozinho em casa. Por que não?, se perguntava. Não teria muito a perder, a menos que fizesse uma merda de filme, mas com uma história e um personagem daqueles, só não faria um filmaço se não quisesse. Era mesmo uma grande oportunidade, qualquer diretor sonharia em filmar uma história como aquela, de uma atriz popular de temperamento exuberante e vida turbulenta, com muitos amores e um final trágico.

E se eu faço o filme, refletia Jordi, pelo menos estou em controle, posso escolher o que mostrar e o que esconder. Não para poupá-la, mas também não para julgá-la. Para tentar encontrar um equilíbro entre o melhor e o pior dela, que muitas vezes se confundiam: às vezes, quanto pior ela era, melhor para o público. Mas não para o filho. O difícil seria encontrar esse equilíbrio.

E por pior que o filme a mostrasse, seria melhor do que o que diziam dela por aí, pensava Jordi, se lembrando de dolorosas gozações dos colegas de ginásio, crueldades adolescentes, "se eu tivesse uma mãe assim não saía de casa". Falava-se barbaridades dela, que tinha dado para o padre reitor para o filho entrar no Colégio dos Jesuítas de Barcelona. Recebia bilhetinhos querendo marcar encontros com ela. Afrontas, "não se pode xingar de filho da puta quem já é". Caralhos desenhados com o nome dela na parede do banheiro. Jordi penou por causa das estrepolias de Lupita — e de seu corpaço de sereia, com peitos e quadris exuberantes de rumbeira, característicos de sua origem cubana.

Lupita fazia e acontecia, falava muito palavrão, mostrava tudo, provocava com despudor, mas tinha uma mentalidade bem careta sob a aparência de libertinagem. Nunca levou homem para casa, não bebia, não tomava drogas e, apesar da infinidade de namorados, era fiel, enquanto durasse a paixão. O problema é que quase sempre durava pouco. E, além disso, Lupita tinha um temperamento forte, não levava desaforo para casa, se envolvia em brigas na rua, batia em jornalistas, era tomada por fúrias indomáveis, destruía bares e maldizia quem estivesse pela frente com as piores blasfêmias. Sem uma gota de álcool, uma linha de cocaína ou uma pílula, na pura tradição do temperamento gitanocaribenho. E talvez por isso sua carreira tenha mais baixos do que altos. Morrer de câncer aos 48 anos, ainda em forma, apenas aos primeiros sinais de decadência, pensava Carles, pode ter sido um desejo secreto de Lupita, ou nem tanto, já que ela sempre dizia em entrevistas que queria morrer jovem.

Jordi era filho de uma aventura dela com um playboy de província, quando Lupita ainda se chamava Rosário, tinha 20 anos e era uma bailarina promissora, recém-chegada a Barcelona, que engravidou sem querer e foi abandonada pelo namorado. Este, sim, era um merda, Jordi só o conhecera quando já tinha 12 anos e nunca o havia aceitado como pai. Era um babaca, um inútil, que nunca fez nada e vivia então às custas das minguadas rendas do avô, um rico proprietário de terras que perdeu quase tudo e virou um velho pobre e autoritário, que já não dizia coisa com coisa e era sugado de suas últimas antiguidades pelo filho. O avô Adriá jamais o aceitara como neto, nunca sequer quisera conhecê-lo.

Lupita, não. Pode ter feito o que fez, ou dizem que fez, dormido com quantos homens dormiu, falado as merdas que falou, mas nunca faltou com carinho e conforto para Jordi. Quando estava por perto. O problema é que Lupita viajava muito. Batalhava para manter a casa sozinha depois que o pai declarou-se falido e deixou de pagar a pensão judicial, estabelecida quando ela o fez reconhecer, à força de exames de DNA, a paternidade.

Não tinha culpa se os homens ficavam loucos. Quer dizer, um pouco tinha, pensava Jordi, porque ela adorava provocar, era uma profissional da provocação, daquelas que seduzem muito mas demoram a dar, quando dão, pensava Jordi, deitado no terraço ajardinado de seu apartamento high-tech, no alto da colina de Montjuich, sob o vento quente do Mediterrâneo.

Ia procurar Carles e topar. Sua única exigência seria ter o controle da produção, o que era bem mais difícil. Mas não poderia ficar na mão do produtor, que podia estar mais interessado em fazer um filme de sexo e escândalos para estourar as bilheterias a qualquer preço. E isso ele não faria.

Quando chegou ao Café des Arts, Jordi já encontrou Carles entrado em meia garrafa de Rioja. Assim que o viu, levantou-se e o saudou em voz alta. Estava excitadíssimo e não o deixou falar:

"Estou saindo de um encontro com don Agustín na Iberfilms e ele aceita produzir dando a você o corte final. Você vai poder fazer o que quiser, desde que não estoure os prazos, nem o orçamento, certo?"

"Como é que você sabia que eu ia topar?"

"Ora, meu caro diretor, não seja ridículo, o velho Carles não nasceu ontem. Eu vi seus olhos brilhando quando falei. E como você é uma pessoa inteligente, e, às vezes, com alguma lucidez, tive certeza de que era só uma questão de tempo. Então, para adiantar as coisas, fui falar com don Agustín, que ficou louco pela ideia, embora duvidasse que você toparia..."

"Mas eu ainda não topei nada..."

"... e como os seus três filmes que ele produziu deram lucro, você se comportou bem, só estourou um pouquinho os orçamentos e os prazos e faltou a alguns eventos de lançamento, ele não tem do que se queixar: ganhou o seu dinheiro, e você entregou os filmes que prometeu. Alguns até melhores do que ele esperava, como *Lábios de Fogo*."

"É o pior dos três."

"Implicância sua, só porque é o mais popular."

"É o mais superficial, isso sim."

"Então está na hora de um mergulho profundo. No maravilhoso mundo de Lupita Valdez", Carles serviu a Jordi um copo de Rioja.

Foram dias e noites febris escrevendo o roteiro na bela e isolada casa de Jordi em Palma de Mallorca, tentando equilibrar entre a visão e os sentimentos de um fã e de um filho, o humor e o sex appeal, os romances e escândalos, os sucessos e fracassos, as grossuras e finesses de Lupita Valdez. No fim do verão, quando voltaram a Barcelona, já tinham um primeiro tratamento, aprovado por don Agustín junto com o cronograma de produção. Começava a contagem regressiva, pela parte mais difícil: encontrar uma atriz, por volta dos 30 anos, morena, gostosa e abusada, que cantasse e dançasse, para encarnar Lupita em *Turbilhão de Paixões*, disposta aos altos teores de sexualidade e de despudor da biografada.

Seria duro para Jordi dirigir as cenas mais quentes, pensava, mas não dizia, Carles. Em Mallorca, ele ficara impressionado com a disposição de Jordi para expor a mãe, sem julgamentos, ressentimentos ou rancor, mas com orgulho por ela ser como era, contraditória, fascinante e sedutora. E com um irresistível apetite por homens bonitos. Os que eram só ricos ou poderosos não tinham chances com ela. Uma vez trocou um político rico e prestigiado, e ainda bonitão, pelo motorista dele, um jovem Apolo sobre rodas. Ela era assim, e assim seria mostrada no filme de Jordi, que parecia se distanciar da mãe para se aproximar de Lupita. Ou vice-versa.

Dezenas de candidatas, vindas de toda a Espanha, entre nomes conhecidos e jovens atrizes iniciantes, se apresentaram para os testes em Barcelona. Era o novo filme de Jordi Serrat, e sobre sua mãe! A imprensa estava fervilhando, adorou o assunto — Lupita nunca teve tantas matérias. Mas Jordi, como exigira em contrato, não daria qualquer entrevista até o lançamento do filme. Lupita Valdez era o papel dos sonhos de qualquer atriz, capaz de proporcionar-lhe um show de interpretação, mostrar o melhor de seu corpo e de sua alma, e fazer dela uma estrela.

Núria Ferran tinha 28 anos, era uma morena bonita que transpirava sensualidade, embora não fosse a candidata mais parecida com Lupita. Mas foi ela a escolhida, com a aprovação silenciosa de don Agustín, que adorava sessões de teste de jovens atrizes, mas não dera nenhum palpite. A mãe era de Jordi, ele deveria saber.

Outras poderiam ser mais parecidas de rosto com Lupita, ter corpos melhores, mas Núria era muito melhor atriz do que elas, tinha se preparado, cortara e pintara os cabelos como Lupita, aprendera a falar como ela. Às vezes, fechando os olhos, Jordi podia ver a mãe ali na sua frente, aos 30 anos, cantando e dançando sobre saltos altíssimos, com um biquíni de leopardo e um rabo de plumas de avestruz.

A escolha do resto do elenco não foi difícil. Entre legiões de jovens galãs e atores maduros e bonitões, foram selecionados os coadjuvantes. Diante de Lupita, todos eram coadjuvantes: namorados, amigos, empresários, jornalistas, empregados, vizinhos, afetos e desafetos. Difícil foi escolher o garoto de 10 a 12 anos, moreninho de cabelos crespos e olhos vivos, para interpretar o filho de Lupita. E diretor do filme.

Carles estava admirado e fazia questão de registrar o quanto estava orgulhoso dos *cojones* do amigo. Não só de filmar a vida controvertida de sua própria mãe, mas também de se colocar na tela, como o menino que via fascinado aquela mulher se vestindo e se despindo, saindo e chegando, rindo e chorando. Lupita não tinha problemas com seu corpo, não usava calcinha, andava nua pela casa, tomava banho de sol em pelo na laje do pequeno edifício onde moravam, Jordi sempre baixava os olhos.

Adolescente, ela fez dele um relutante confidente, e passou a contar-lhe suas aventuras e desventuras amorosas, como uma colega, uma amiga. A história era sempre parecida; ela cheia de esperanças no início, ele cheio de promessas, com tudo para dar certo, as brigas, os ciúmes, o rompimento, a volta, o rompimento, a volta, até a próxima esperança:

Diante do desconforto de Jordi, se justificava:

"Te conto para você aprender tudo que não se deve fazer com as mulheres."

Eram muitos os namorados, em constante movimento, mas um de cada vez. Lupita sempre foi fiel, jamais havia traído um namorado, jurava, antes rompia com ele, ou, quase sempre, rompiam com ela. E não namorava homem casado. Eram regras escritas na pedra para ela.

Ao mesmo tempo em que escancarava as suas emoções para Jordi, era discretíssima, como se não tivesse vida sexual, como se os seus namoros fossem feitos só de sentimentos e carinhos. Não recebia seus amantes em casa e nem revelava seus nomes a Jordi, embora alguns, artistas e esportistas, que a deixavam na porta, fossem seus conhecidos dos jornais e da televisão. Talvez por isso tivesse frequentes pesadelos com Lupita trepando com homens sem rosto, um depois do outro. E acordasse de pau duro, com a cueca empapada, morto de vergonha e culpa.

Com o cabelo e a maquiagem, Núria estava a cara de Lupita e mostrava a mesma exuberância corporal. Mas tinha um temperamento muito diferente. Era tímida e tensa, falava baixo, se vestia com desleixo, sempre de jeans, camiseta e tênis, e só pensava naquilo: o teatro, o palco, a arte de representar, muito mais até do que o estrelato. Ex-alcoólatra e dependente química, achava que fora salva pelo teatro, estava limpa e disciplinada: havia dois anos, quarenta dias e 11 horas não bebia nem tomava drogas.

Enquanto eram selecionadas as locações, montados os cenários e costurados os figurinos, Jordi dirigia os ensaios no terraço de seu apartamento, no alto da colina de Montjuich, com Barcelona iluminada aos seus pés e o Mediterrâneo escuro ao fundo.

Núria tinha todo o texto decorado antes do primeiro ensaio, como se fosse uma peça de teatro. Já havia construído o personagem na sua cabeça quando disse a primeira fala, que seria filmada com ela saindo de uma banheira de espuma, de braços abertos e os peitões balançando, gritando:

"Olá, putada!"

Núria estava apaixonada por Lupita, e que mulher não estaria? Viver um sonho de liberdade e independência, de ingenuidade e inocência, movida por sentimentos intensos e fugazes, com a sexualidade à flor da pele e um esplêndido despudor. Para provocar, seduzir e divertir estranhos, mas se dar inteira só aos seus amores, um de cada vez. Tudo que Núria não era, e por isso mesmo gostaria muito de experimentar, protegida por uma personagem.

O diretor era um amor, um cavalheiro, a cercava de gentilezas e atenções, era um homem acostumado a trabalhar com artistas, paciente e educado. Assim conseguia deles o que queria. Jordi estava encantado com o talento, a seriedade e o profissionalismo de Núria, que se agarrara ao papel como se fosse o único e o último de sua vida. E era dócil às suas direções, aberta a riscos e mudanças, estava entregue ao personagem. E ao diretor, ele pensava.

Quando Núria apareceu pela primeira vez vestida de Lupita, numa prova de figurino, Carles e Jordi vibraram. De biquíni mínimo de leopardo, com um rabo de penas de avestruz e sobre saltos altíssimos, ela cantava e dançava pela sala, sob aplausos. A própria Lupita não faria melhor.

As câmeras estavam prontas para rodar.

E Jordi se deu conta de que estava, como todos no set, se apaixonando por Lupita, o que era até bom para o filme, mas nem tanto para ele. Tinha que manter o controle, a frieza era indispensável para poder expressar as suas emoções, mas na tela. Set é set, filme é tela, pensava.

Pobre Jordi, pensava Carles, apaixonado pela mãe de verdade e agora pela mãe de fantasia. Às vezes se sentia até um pouco culpado por tê-lo levado àquela aventura em mares tão bravios. O problema era que Carles, como todos no set, também estava se apaixonando por Lupita. Era como se a fantasia erótica de sua adolescência se encarnasse diante dos olhos do garoto punheteiro. E melhor, não era a mãe de seu amigo, mas uma jovem atriz talentosa e ambiciosa, gostosíssima, interessada em manter ótimas relações com quem escrevia suas falas e criava suas situações e seus conflitos, as suas cenas de amor.

Carles convenceu Jordi da necessidade de estar presente no set. Ele detestava, mas faria como sacrifício, para reescrever a cada dia as cenas, de acordo com a dinâmica dos acontecimentos e o desenvolvimento dos personagens. Com Jordi dando a última palavra, é claro.

Qualquer possível equilíbrio entre a visão do filho e a do fã desapareceu com a entrada em cena de Núria, por quem os dois estavam apaixonados. Jordi, se esforçando para não misturar ainda mais as coisas em sua cabeça e em seu coração; e Carles, fazendo todos os esforços para agradá-la, louco para comê-la. Afinal, estava esperando havia vinte anos.

Sempre com doçura e suavidade, com seu jeito tímido e desprotegido, Núria conseguia o que queria, refilmar cenas, trocar figurinos, cortar falas, acrescentar outras, usando a sua autoridade como Lupita. E o tesão e a fantasia de Jordi e de Carles. Era desconcertante para eles vê-la em cena como Lupita, dançando nua, aos beijos com um amante, e depois do "corta" se enrolar em roupão, e voltar em silêncio para o camarim.

Por mais poder que estivesse conquistando, Núria sabia que ele ainda seria pouco na sala de montagem, quando o diretor e o montador fariam o que quisessem, cortariam cenas, diminuiriam papéis, eliminariam personagens, fariam o filme do diretor.

Cada vez mais segura do que fazia, e menos do que Jordi faria com o trabalho dela, Núria fez uma tórrida cena de sedução com um garotão aparvalhado. Jordi aplaudiu, e ela saiu sorridente do cenário, só de calcinha e de saltos altíssimos, enlaçou Jordi pelo pescoço e deu-lhe um beijo longo, molhado e profundo, finalizando a cena que havia começado como Lupita.

Carles sentiu que o roteiro estava mudando. Sentiu inveja de Jordi, que recebeu aquele beijão de sua própria mãe, abraçado ao seu corpo nu, sem culpa e sem pecado, o Édipo feliz.

Dali para a cama foi um passo, um passo em falso. Jordi brochou na primeira tentativa. Núria era insegura sexualmente, tensa, ansiosa, tinha sérios problemas para gozar, era incapaz de se entregar, de ser um furacão em cima ou debaixo de alguém, ao contrário do que se imaginava de Lupita. Para Jordi, tudo nela parecia falso, embora fosse verdadeiro. Bem, Núria não era Lupita, concluiu meio aliviado e meio frustrado debaixo do chuveiro, depois da segunda tentativa, consumada porém sem brilho ou emoção. Não que fosse ruim, mas bom também não foi, nem nada do que ele esperava. Nada poderia ser o que ele esperava. E, afinal, o que ele esperava? O verdadeiro prazer era vê-la em cena, desejá-la, e não comê-la.

Carles estava em campanha: chegava todos os dias com propostas de cenas cada vez mais audaciosas, não previstas no roteiro inicial, trepadas escandalosas em lugares públicos, cenas de sadomasoquismo e surubas, com a aprovação entusiástica de Núria, e a aceitação relutante de Jordi. Decidiria o que fazer delas na sala de montagem, só filmá-las já seria muito divertido e excitante.

Seria duro para Jordi dirigir as cenas de sexo? Nem tanto. Depois de conhecê-la e de se decepcionar carnalmente, ela era mais Núria do que nunca, uma atriz talentosa e disciplinada que obedeceria aos comandos do diretor. Lupita era uma ficção.

Como Lupita, ela foi um furacão em cima ou debaixo, atrás ou na frente do ator, que não conseguiu conter uma ereção de verdade e se cobriu constrangido quando Jordi gritou "corta", sob risadas e piadas do set, enquanto Núria vestia o roupão e voltava em silêncio para o camarim.

A grande virada do roteiro se deu na festa comemorativa do encerramento das filmagens, no prazo, e com o orçamento só um pouquinho estourado. Don Agustín estava feliz com o que havia visto do material bruto, sem que Jordi soubesse, e apaixonado, profissionalmente, por Núria Ferran. Como todos no set.

Como todos no set, Núria brindou com champanhe, duas, três, várias taças. Ex-alcoólatra, logo estava incontrolável, falando e agindo como Lupita, gritando palavrões, pegando no pau dos homens, beliscando os peitos das mulheres, subindo na mesa e, sem parar de dançar, tirando a calcinha e a jogando para os convidados:

"Lupita de calcinha não é Lupita!"

"Viva Lupita!", todos gritavam e aplaudiam, o DJ aumentava o som e botava músicas com batidas mais rápidas. Núria circulava pelo salão dando beijos de língua em homens e mulheres. Parecia uma performance de Lupita, mas era de Núria.

Jordi estava cansado, preferiu ir embora; aquele filme já estava filmado.

Sorte — e perseverança — teve Carles, que, vários drinques depois, abraçou Núria e beijou a boca de Lupita com apetite. Levou-a para casa e fodeu-a a noite inteira como um adolescente, ouviu-a gritando de prazer, fora de si, gozando várias vezes, levando-o à completa exaustão. Ela superara tudo que ele imaginara, e ele imaginara tudo, como um roteiro de cinema.

Núria se levantou com as primeiras luzes do dia entrando pelas frestas da cortina, num quarto estranho, nauseada, com a boca amarga e a cabeça estourando. Olhou para o lado e viu Carles escornado, com o bundão de fora, roncando feliz. Morreu de vergonha e de arrependimento. Depois de lavar o rosto e a boca, se vestiu e saiu.

Apesar da grande atuação de Núria, o filme foi desancado pela crítica, que o acusou de vulgar e apelativo. Jordi foi execrado por vender a mãe. E não entregar. O roteiro de Carles foi considerado inverossímil e cheio de clichês.

Mas o público adorou.

Conversas roubadas

Depois de nossa noite quente no motel barato de Ipanema, comecei um romance com Helena. Nós dois trabalhávamos muito, ela em seus curtas e seriados, eu na publicidade e nos livros; tínhamos pouco tempo para nos ver; aproveitávamos cada segundo juntos. E chegamos até a voltar ao Agris P.HO algumas vezes, quando minha filha Antônia estava passando o fim de semana comigo. Na casa de Helena era inviável, ela morava com um filho de 11 anos, que me odiava. A cama dela era um lugar sagrado para o edipozinho de Ipanema.

Eu e Helena tivemos um bom ano. Ela conseguiu um novo contrato na televisão, com um ótimo salário, e também ia dirigir seu primeiro curta. O mercado publicitário esteve em ebulição, redatores foram valorizados, mudei de agência com grandes vantagens. E, ainda por cima, contrariando as minhas expectativas modestas, e mais ainda da editora, meu romance *Noites Quentes* foi um sucesso editorial. Pela primeira vez ganhei dinheiro com um livro.

Fomos comemorar passando o fim de ano em Paris. Num fim de tarde gelado, estávamos bebendo chocolate quente no Café de Flore, tão cremoso e espesso que quase se podia comê-lo, quando ouvi, o que não é difícil em Paris, alguém falando português na mesa ao lado. Me virei sem muito interesse e vi uma jovem magrinha, de cabelos curtos e oclinhos, com uma aparência punk-chique, conversando com um jovem gay elegantíssimo, de terno de cashmere bege, camisa azul e uma bela gravata verde-escuro com um laço perfeito. Também era brasileiro, aparentava por volta de 30 anos e falava em francês fluente com um senhor que o apresentava à esposa:

"*Mon ami Charlie Ramos Baptista, de l'Ambassade du Brésil.*"

Charlie curvou-se e beijou a mão da senhora, despediu-se com mesuras e voltou a conversar com a garota:

"Pink, você é uma louca, não precisa de mais nada, para que arriscar mais?"

Me lembrei dos métodos criativos de Marçal Aquino, que se alimenta de conversas que ouve, entreouve, espiona, nas ruas, nos bares, em salas de espera, em ônibus, em qualquer lugar, para escrever suas histórias. Chega até a seguir, com discrição, casais que discutem na rua, se a briga for boa. Ali, ao alcance do ouvido, era irresistível. Ela estava arriscando o quê?

"Sei lá, Charlie, para quebrar o tédio, estou há dois anos de bobeira, só viajando, desfrutando, comendo bem, dançando, comprando o que quero, dando uma transadinha aqui e outra ali, sem nenhuma preocupação, e até isso cansa, Charlie."

"Querida, você deu um golpe sensacional, ficou rica com menos de 30 anos, pode fazer o que quiser da sua vida...", Charlie falava como um amigo e confidente. Meus ouvidos e os de Helena entraram em sintonia fina.

"... só não pode abusar da sorte. Você já conseguiu tudo que queria, mais, até; se vingou do seu pai e ficou rica, você já tem uma vida feita, menina", completou Charlie, tomando uma taça de vinho.

Se vingou do pai? Ficou rica? Aquela punkzinha magrela de oclinhos? Fiz grande esforço para aparentar indiferença e me concentrar no chocolate, só trocando olhares elétricos com Helena.

"Desde que conheceu o Jordi você mudou muito, nunca te vi assim, acho que você está ficando meio apaixonada... oh, *l'amour*", Charlie riu e levantou a taça em brinde.

“Para com isso, Charlie”, ela cortou, “não quero nada com ele, nós somos amigos, ele tem um projeto e eu estou interessada. No projeto, não nele. Você está é com ciúmes, seu possessivo. Não precisa se preocupar, você vai ser sempre meu melhor amigo”.

“Eu não tenho nada contra, você sabe que eu gostei dele logo de cara, achei inteligente, charmoso, viril, eu adoro esses catalães. Aliás, hoje o embaixador me disse que está quase certa a minha transferência para o consulado de Barcelona no ano que vem. E aí com certeza também vou encontrar meu Jordi”, Charlie e Pink riram, cúmplices.

“Essa história do filme é que é arriscada, Pink, você devia ficar só comendo o Jordi, namorando, vendo filmes, falando de cinema e passeando pelo mundo.”

“Charlie, já te falei que nunca comi o Jordi”, Pink foi incisiva.

“Mas comerá, e muito, e faz muito bem, ele está louco por você, é tudo que você quer. O seu erro foi contar a história das cafetinagens, espionagens e chantagens.”

“Mas eu contei a ele como se fosse ficção, uma história que eu havia inventado, e ele adorou, e ficou com ideia fixa de transformar em roteiro e filmar.”

Epa! Cafetinagens, espionagens e chantagens? A coisa estava esquentando, enquanto o chocolate esfriava na xícara. O Marçal ficaria louco com essa conversa roubada.

“E agora não tem desculpa para não assinar como corroteirista, nem para não deixar fazer o filme. E se ele fizer sucesso, ou se pelo menos passar no Brasil, você vai ser identificada, caçada, pode ser presa e até morta. É esse o projeto?”

“A menos que eu contasse para ele toda a verdade, que foi o que eu fiz.”

“Você é louca, Pink, está apaixonada e não sabe, você conhece o Jordi há dois meses, não sabe direito nem quem ele é; essa história de ‘grande talento do novo cinema espanhol’ é pouco, baby, você está colocando sua vida na mão do cara.”

"Ele é um cara sério, Charlie, um artista, um cara maduro, sofrido, que eu respeito, que me respeita, ele entendeu tudo, sabe o perigo que eu corro, que não posso me expor, ele vai fazer tudo para me proteger. Mas eu sou a autora da história, mereço o crédito, em reconhecimento e em dinheiro. E fizemos um pacto secreto. Criamos um pseudônimo para mim, que só eu e ele, e o advogado que vai receber por procuração, saberemos", Pink sorriu e lhe estendeu a mão:

"E agora você também sabe. Muito prazer, Francesc Picón." Os dois riram apertando as mãos. E pediram mais uma garrafa de vinho.

Antes de o garçom voltar com o vinho, chegou um homem de 30 e tantos anos, moreno, alto e magro, com cabelos bem curtos, e se sentou à mesa com Pink e Charlie. Falava um portunhol diferente do que se ouve na América Latina, mais próximo do português de Portugal, que soa tão parecido com o catalão.

"Então, já contou tudo para o Charlie?", Jordi perguntou a Pink.

"Claro, e ele aprovou tudo, não é, Charlie? Ele está do nosso lado, ele gosta de arte e aventuras."

Jordi falou um pouco mais baixo, olhando nos olhos dos dois:

"Agora nós temos um pacto, um segredo, somos uma família mafiosa", e riu.

De vez em quando era preciso trocar algumas palavras falsas com Helena para não parecer que estávamos ouvindo a conversa deles. Agora com Jordi sentado de frente para nós, tínhamos que fingir que falávamos muito baixo, quase aos cochichos, como conspiradores, mostrando que estávamos alheios a eles. Olhares se cruzaram com naturalidade, como parte do reconhecimento, mas não era possível saber que língua falávamos, e a nossa aparência, cobertos por casacos, cachecóis e gorros, era bem cosmopolita.

Eles continuaram, animados. O homem era o cineasta espanhol com quem Pink estava envolvida. Mas a forma como Charlie o olhava ia muito além da admiração. Jordi estava animado:

"Hoje falei com don Agustín, mandei uma sinopse, e ele ficou muito interessado. Conversei uma hora com o Carles Doménec, ele adorou a história e vem para cá escrever o roteiro comigo", e completou, em tom cúmplice, para Pink: "Conosco. O Carles quer abrir o filme com a história daquele senador machão que mandou moldar seu próprio pênis em borracha e o levava para ser sodomizado pelas garotas."

Os três riem, Jordi completa:

"E o homem tinha um instrumento enorme."

Continuam rindo; Pink conta para Charlie:

"Foi a nossa primeira ação, o homem não acreditou, e nós inundamos Brasília com os filminhos e as fotos. Todo mundo ficou sabendo e depois disso o esquema começou a funcionar legal. O pessoal começou a pagar sem discutir muito. Depois do estrago o Raposão dizia para os amigos que preferia mil vezes ter pago o resgate do que explicar a história no sertão pernambucano. Ele foi nosso garoto-propaganda."

Todos riem. Nós fingimos não ouvir, fazemos força para não rir.

Jordi contou que, apesar de todas as críticas, o seu filme estava entre as cinco maiores bilheterias na Espanha no ano e don Agustín estava feliz. Que filme seria este?

Charlie também parecia animado, adorando fazer parte daquela cumplicidade. Disse que, se tivesse um bom roteiro e fosse bem filmada, a história poderia mesmo dar um ótimo filme, fazer sucesso, dar dinheiro.

Helena o reconheceu de fotos em revistas, reportagens e críticas sobre seu polêmico filme *Turbilhão de Paixões*. Era o catalão Jordi Serrat, me cochichou. Pelo que havíamos visto no filme sobre sua mãe bagaceira, que ainda passava em um cineminha de Saint Michel, mesmo sem ser nenhum gênio, Jordi Serrat sem dúvida sabia filmar, contar uma história. E estava ali na mesa ao lado, conversando com dois brasileiros. E sendo ouvido por mais dois.

"Vai ser muito divertido quando o filme passar em Brasília", ria Charlie. Jordi também adoraria ver o filme exibido no cenário em que seria filmado, mas não pretendia pôr os pés no Brasil, não queria responder perguntas e colocar o sigilo em risco; nas entrevistas diria que era tudo ficção, dele e de dois escritores catalães. Diria que era uma história internacional, que poderia se passar na Espanha, no México ou na Itália, e que escolheu o Brasil pelo cenário futurista de Brasília e por seus políticos pitorescos. E olhava para Pink com expressão protetora. Ela gostava.

Então ele ia filmar a história real de uma jovem punk-chique milionária, feita de cafetinagem, espionagem e chantagem. O Marçal ia ficar louco com esta, pensei.

Quando estávamos no melhor da história, depois de tomar uma taça de vinho, Jordi se levantou:

"Então vamos, deixei o carro estacionado aqui perto."

Não me restou outra alternativa; mal tive tempo de pensar e agi por reflexo, por puro instinto. Me levantei e, me dizendo um admirador que o havia reconhecido, cumprimentei Jordi Serrat:

"Gostei imensamente do seu filme. Aliás, nós gostamos muito", e o apresentei a Helena, "somos roteiristas no Brasil, ela trabalha em televisão e eu, em publicidade. Somos fãs do cinema espanhol, aliás, de quase tudo espanhol"; me dei conta da gafe e corrigi a tempo, "e mais ainda da Catalunha".

Ele foi simpático e receptivo, como qualquer diretor magoado com críticas; Helena aproveitou e falou de Barcelona, dos seus cenários, seus personagens, que estava escrevendo uma história ambientada em Barcelona. Jordi engrenou em um papo sobre os altos e baixos da Catalunha, de sua beleza, de sua cultura, de seu nacionalismo radical, mas, apesar de toda a sua modernidade, lamentou a mesquinharia, a inveja e o provincianismo da crítica cinematográfica e do ambiente de cinema.

Me apresentei a Pink e Charlie, eles estenderam mãos moles e olhares blasés, enquanto Helena conversava com Jordi. Aos poucos eles se davam conta de que havíamos ouvido toda a conversa, e pior, que éramos brasileiros. Com certeza estavam repassando mentalmente tudo que haviam falado, o que haviam dito de comprometedor que pudesse ser usado por estranhos. Afinal nós sabíamos até a identidade secreta de Francesc Picón. Se fôssemos policiais ou jornalistas, eles teriam problemas.

Só nos faltava saber como aquela garotinha, que nem sequer era bonita, conseguiu ficar rica com cafetinagem, espionagem e chantagem em Brasília, mas, conhecendo os políticos brasileiros, não era difícil imaginar. Estávamos em franca vantagem sobre eles, não tínhamos nada a perder com o que já sabíamos. Pink chamou Jordi e nos deu boa-noite com um sorriso amarelo. Charlie foi mais gentil. Arrisquei tudo e disse para Jordi:

"Você sabe que está uma onda de roubo de histórias em Nova York? E que agora também está acontecendo em Paris?"

Ele ficou interessado: "Roubo de histórias?" Pink franziu a testa.

"Isso mesmo. O *New York Times* deu uma matéria contando que, como as editoras americanas começaram a comprar reportagens, relatos, narrativas, processos judiciais, qualquer coisa que julgassem possível de ser desenvolvida em livro, filme ou seriado de TV, piratas literários passaram a espionar escritores e jornalistas, a violar correspondências e latas de lixo, a invadir computadores de roteiristas, e até a ouvir conversas em bares, clubes e restaurantes, para roubar histórias e vendê-las às editoras e produtoras de cinema. Uma boa história, verdade ou mentira, nunca valeu tanto."

Jordi estava boquiaberto. Pink, ansiosa e irritada:

"Vamos, Jordi, senão vamos perder o filme."

Nos despedimos, eles pagaram a conta e saíram; pedimos outro chocolate.

A tentação era sair atrás deles, entrar em um táxi e dizer: "Siga aquele carro", brinquei com Helena.

"Nem precisava. É claro que ela está apaixonada por ele", Helena fez uma pausa, "e a bichinha diplomata também", e riu; "para começar já temos um triângulo bem original, e você sabe que um bom triângulo amoroso vale ouro".

"Se com tudo isso nós não conseguirmos escrever uma história divertida, só pode ser por preguiça ou incompetência."

Vale o escrito

Boipeba é um paraíso tropical na Bahia de Todos os Santos, uma ilha de vegetação exuberante, separada do continente por um rio e um braço de mar, onde as águas doces se misturam com as salgadas e o reino de Oxum se encontra com o de Iemanjá.

De frente para a imensidão azul, cercada por matas virgens e manguezais, com praias de areia fina e branca, Boipeba tem diversas pousadas, algumas muito charmosas e confortáveis, com ar-condicionado, internet e televisão por satélite, além de uma boa conexão de celular. Do jeito que eu gosto: natureza e tecnologia.

Adoro a natureza selvagem, que me relaxa e me inspira, mas não vivo sem tecnologia. Sem meu laptop e sem internet, não consigo trabalhar. Bem, até poderia, muitos escritores escrevem à mão, em cadernos, usando apenas uma Bic e sua imaginação. Alguns escrevem até a lápis, como Vargas Llosa, para poder apagar com a borracha e reescrever. Não é o meu caso. E o que seria de mim sem o Google? Não só para as biografias, mas para os meus romances, com informações sobre cidades, pessoas, eventos, músicas e filmes que definem épocas, venenos ou armas para crimes, nomes de pessoas e lugares argentinos ou catalães, cenários e personagens, o Rio de Janeiro nos anos 60, a geografia e a cultura da Índia... está tudo lá, pronto para se tornar ficção nas mãos de um profissional. Imagino que se Balzac tivesse um Google poderia ter escrito uns quatrocentos romances, Proust não precisaria puxar tanto pela memória, escritores não perderiam tanto tempo em pesquisas e poderiam usá-lo para trabalhar as informações e a forma de contá-las, como se pode fazer hoje.

Depois do surpreendente sucesso comercial do meu romance *Noites Quentes*, recebi um bom adiantamento de minha editora para escrever um novo livro e desembarquei em Boipeba leve e esperançoso, com uma mochila, o meu querido MacBook e nenhuma ideia na cabeça. A paisagem, a paz e o conforto ajudavam, mas ao mesmo tempo não deixavam espaço para desculpas e justificativas para não fazer o que tinha que ser feito: um bom livro. E todo mundo sabe que a inspiração vem com a transpiração; a tela em branco é o campo de batalha.

E em branco ela continuava depois de três dias, um período de adaptação natural; era uma espécie de relaxamento concentrado para que as ideias pudessem fluir e frutificar.

Fluir até que fluíram, mas como um rio de águas turvas. Eram poucas e bobas, previsíveis e inaproveitáveis, mas com certeza as boas aparecerão naturalmente, tentei me tranquilizar. Mas para isso era preciso colocar para fora tudo, as ruins, as vagabundas, as preguiçosas, todo o lixo, a maioria absoluta.

A vila de Boipeba tem um comércio básico, posto de saúde, delegacia de polícia, um campo de futebol, alguns bares e pequenos restaurantes, e uma pizzaria bem razoável, até mesmo para os exigentes turistas paulistas e italianos que abundam no verão baiano.

No fim da tarde, depois de uma jornada infrutífera diante do Mac, saí para dar uma espairecida. Fui caminhando pela areia, maravilhado com o crespúsculo vermelho descendo sobre as ilhas, e, atraído pelo cheiro saboroso de uma fornada, parei na Pizzaria Verona. Foi lá que conheci o Jonas.

Aparentava 30 e poucos anos, era bem moreno e muito magro, com o rosto encovado, barba e bigode, boné e óculos Ray-ban. Falava e gesticulava muito em uma mesa próxima, cercado por turistas que ouviam com atenção e pontuavam com gargalhadas as suas narrativas, em inglês fluente, mas com forte sotaque baiano.

"É o Jonas, um contador de histórias", me disse a garçonete tomando meu pedido; "é muito querido na ilha, quase todo dia, no fim da tarde, vem para a pizzaria. E nem paga, é convidado da casa, porque sempre trás com ele grupos de turistas. Todo mundo gosta das histórias dele, um vai falando para o outro e ele vai ganhando freguesia. Tem gente que até volta com os amigos e pede para ele repetir a história".

Enquanto eu tomava cerveja e esperava a pizza, Jonas terminava sua história, a terceira da noite, com gargalhadas e aplausos. Ainda rindo, felizes e satisfeitos, os turistas o cumprimentavam e se despediam, deixando dinheiro sobre a mesa.

Jonas ainda recolhia as notas quando seu olhar cruzou com o meu e nos cumprimentamos com um aceno de cabeça. Ofereci-lhe uma cerveja e ele aceitou; guardou as notas no bolso do short e se sentou à minha mesa.

"Muito prazer. Jonas", estendeu a mão sorridente.

"Muito prazer", respondi, "eu sou um escritor do Rio de Janeiro à procura de boas histórias", disse num tom de autogozação.

Ele riu, com dentes bastante maltratados:

"Tem um cigarro aí, veio?"

Dei-lhe o cigarro e servi-o de cerveja. Ele perguntou que livros eu havia escrito, mas não conhecia nenhum. Não lia muitos livros, mas, desde criança, em Vitória da Conquista, o que mais gostava era de ouvir histórias; sua avó era uma grande contadora de histórias, especializada em bruxas e feiticeiros. De sua babá preta ouvia histórias das entidades do candomblé e da mitologia africana. Sua mãe também contava boas histórias, que inventava na hora, repetidas mas sempre diferentes. Jonas foi desenvolvendo uma paixão pelas narrativas que superava o futebol, a televisão e as brincadeiras de rua entre os seus interesses de menino, em Salvador, para onde a mãe havia se mudado depois da morte do pai, quando ele tinha 5 anos.

Graças à pensão do pai como engenheiro do DNER, ele e a mãe puderam sobreviver com relativo conforto, até a morte dela, quando ele tinha 18 anos. Enterrou a mãe, vendeu tudo que tinham, inclusive a casa em que moravam, deu a um amigo de confiança uma procuração para receber a pensão do pai e partiu para o mundo.

Estava pronto para usar tudo que aprendera com tanto esforço, desde menino, nos cursos da Aliança Francesa e do Instituto Britannia de Salvador, que o permitia ler revistas em inglês e em francês, traduzir letras de músicas para os amigos, conhecer histórias de personagens célebres, se preparando para o mundo que iria conhecer pessoalmente.

Chegou a Lisboa na primavera, se hospedou em um hotelzinho na Praça da Alegria e saiu para conhecer a cidade. Ouviu muitas histórias em bares da Alfama, algumas até do tempo do terremoto e de quando os mouros cercavam Lisboa. Era o início de uma longa viagem, que só terminaria 12 anos depois, na ilha de Boipeba.

Pedi mais uma cerveja para nós, e a Jonas que continuasse.

Depois de dois meses em Lisboa, ele passara um ano entre Paris, Londres, Amsterdã, Barcelona, Berlim e Roma, gastando dinheiro, conhecendo pessoas, bebendo vinho e ouvindo histórias. De marinheiros bêbados no cais do porto, de putas nos bordéis, de velhos empregados de hotéis e pensões, de garçons e motoristas de táxi falastrões, de vagabundos de rua. Umas boas, outras ruins, umas pareciam verdadeiras e outras, falsas, embora não lhe interessasse saber qual era o quê. Boas mentiras bem-contadas eram mais divertidas do que verdades triviais.

Durante três anos zanzou pela Europa, conhecendo pequenas cidades do interior e do litoral, confraternizando com camponeses e pescadores em volta de garrafas de vinho, conversando com estranhos em bares e tabernas, ouvindo histórias de crimes, mistérios e maldições.

Quando completou 21 anos e parou de receber a pensão do pai, o dinheiro da venda da casa acabara havia muito tempo. Era hora de começar vida nova. Em Madri trabalhou como vigia noturno, faxineiro de um asilo de velhos, frentista de posto de gasolina, recepcionista de uma escola de línguas, e até mesmo como acompanhante de senhoras solitárias. Conseguiu juntar algum dinheiro e voou para Nova York, onde passaria os sete anos seguintes.

Jonas se levantou, agradeceu a cerveja e partiu, prometendo que continuaria no dia seguinte, como um capítulo de novela. Eram apenas os canapés, que abririam o apetite para as entradas e os pratos principais. Fui dormir com a cabeça pegando fogo, invejando alguém que tinha tantas histórias para contar. E o dia demorou a passar, mais uma vez em branco diante da tela do Mac, consumido na ansiedade pelo encontro.

Mas ele não apareceu na pizzaria, esperei até as nove da noite e nada. A garçonete me disse que às vezes ele não aparecia; na vila diziam que Jonas era um homem muito doente.

"Mas doente como? O que é que ele tem?"; ele tinha mesmo uma aparência meio doentia.

"Ninguém sabe e nem ele diz, é uma doença grave, coisa séria, mas ele não fala nisso e ninguém comenta o assunto. Ele é muito respeitado por aqui."

No dia seguinte, consumido em mais uma jornada infrutífera diante do laptop, quando cheguei à pizzaria, ele já estava lá, tomando cerveja e fumando um cigarro, e me recebeu com muita simpatia, como se fôssemos velhos amigos, e como se não houvesse faltado ao nosso encontro.

Ofereci-lhe uma cerveja, mas ele disse que agora era por sua conta, afinal éramos colegas de profissão.

"Depois você me conta a sua história", disse e riu, mas não achei muita graça.

"Onde é que a gente parou? Ah, em Nova York, para onde fui com 21 anos", retomou.

Foram oito anos de aventuras, em que verdades e mentiras se harmonizavam na fluência de sua narrativa. Foi em Nova York que descobriu que poderia ganhar uns trocados contando histórias, curtas e engraçadas, na tradição do *stand-up comedy* que ele via na televisão e que os americanos adoravam. Contava histórias em bares, em praças e parques, depois passava o chapéu. Chegou até a trabalhar como voluntário em hospitais, para divertir os pacientes sofredores. Se casou com uma porto-riquenha naturalizada para ter um passaporte americano, trabalhou na cozinha de vários restaurantes, esteve preso dois meses por uma briga em um bar do Bowery, conheceu putas, traficantes, mafiosos, granfinos e madames, trabalhou como jardineiro em uma casa de verão em East Hampton, tocou surdo em uma escola de samba brasileira que se apresentava em festas de casamento, foi vendedor de bijuterias e de cachorro-quente, sempre ouvindo e contando histórias.

"Só voltei ao Brasil com 30 anos, quando fui diagnosticado com uma doença em estágio terminal", disse sem alterar a voz, "que me dava, talvez, um ano de vida, e decidi me antecipar e passá-lo já no paraíso terrestre, em Boipeba. Cheguei ao paraíso há doze quilos", brincou com a magreza doentia.

Fiquei chocado; sem condições de dizer nada e muito menos de perguntar-lhe sobre a natureza do seu mal secreto e fatal. Ele me olhava com um sorriso beatífico, ou melífluo, e tomava cerveja, saboreando a minha reação. Afinal, podia nem ser verdade, apenas mais uma de suas histórias, pensei, tentando aparentar naturalidade.

Olhando de perto, à luz do pôr do sol de Boipeba, ele tinha mesmo uma aparência terminal. Muito magro, faces encovadas e um bronzeado escuro de aparência não muito saudável, com um tom meio esverdeado. Será que ele tinha aids? Com todos os tratamentos que existem hoje em dia? Muita gente está com vinte anos de sobrevida, inteiraço. Ele era jovem, morava nos Estados Unidos, teria se tratado, não chegaria a esse ponto, embora a sua aparência seja muito parecida com a de um aidético terminal. Sabe-se lá quantas doenças fatais existem, infinitos tipos de câncer, vírus e bactérias raros, novas infecções, formas desconhecidas de morrer em pouco tempo, sem que a ciência possa dar uma resposta.

Mas, com certeza, Jonas não está muito bem. Algum dia ele me contará, talvez, mas não vou perguntar. Pedi uma pizza e que ele me contasse uma história, como se eu fosse um turista, profissionalmente:

"Faço questão de pagar como um cliente normal, você já está pagando a cerveja."

"E a pizza", ele completou; "então vou te contar uma história. São vinte reais, dez dólares".

E me contou uma incrível história, com grande riqueza de detalhes, que jurou ser verídica, mas para mim não fazia a menor diferença. Um médico casa a filha única com um diplomata, a moça vai morar em Londres, tem um bebê e morre no parto. A sogra, uma bela senhora de 40 anos, ajuda o genro a criar o neto e acaba abandonando o marido para se casar com ele. Com seu estilo exuberante, seu timing de comédia, seus gestos amplos, a narrativa levou uns 15 minutos e me divertiu em cada momento. Paguei os vinte reais satisfeito e ganhei uma solução. E um problema.

Meu plano inicial era escrever um romance, mas não estava em condições de desperdiçar a oportunidade de um conto como aquele, solto no ar, pronto para ser transformado em dígitos na tela em branco.

Em dois dias adaptei a história para o Rio de Janeiro dos anos 50 em um conto de vinte páginas, trocando os nomes dos personagens, mudando a causa mortis da filha e dando um formato literário à história que Jonas contara numa linguagem falada e exuberante.

Com a história pronta, voltei à pizzaria. Jonas terminou com um grupo de paulistas, aplaudido, recolheu o dinheiro e veio até a minha mesa, sorridente:

"Como é? Já escreveu a sua história?", brincou, e me senti meio constrangido, com um sorriso amarelo, como um menino flagrado com a mão na lata de biscoitos. Quase disse: "mas eu paguei, posso até pagar mais, se for o caso", mas não tive coragem, ele poderia se ofender. E não me contar mais histórias. Era melhor ir em frente como se nada houvesse acontecido, além do início auspicioso de um livro de contos.

"Então, vamos a mais uma degustação de histórias?", propus.

"Claro, eu estava mesmo tentando escolher uma história para te contar, afinal, você é um profissional. É um problemão quando você tem um monte de histórias e com o tempo vai misturando umas com as outras, concentrando, remixando, de um jeito que nunca uma história é contada duas vezes exatamente da mesma maneira. Senão, nem eu aguentaria", e riu, malandro:

"Eu sempre dou uma perguntada na roda de ouvintes sobre as profissões deles, junto com as idades, com o jeitão, com as caras, e escolho uma história apropriada, que acho que pode diverti-los."

Jonas não era um mero contador de causos, como se encontra em qualquer roça ou roda de botequim. Suas histórias eram complexas, tinham estrutura narrativa sólida, eram cheias de detalhes dos personagens e de cenários que ele parecia conhecer muito bem.

"Você nunca pensou em escrever?", provoquei.

"Quando era garoto, queria estudar História, mas acabei viajando e fazendo minha própria história. Mas não sei escrever direito, não gosto, não tenho paciência. Minhas histórias não são para ser lidas, mas ouvidas, escritas devem ser muito chatas, sem os recursos da voz e dos gestos, sem a presença física de quem conta."

"E você não tem medo de que roubem as suas histórias? Tem muito gringo malandro por aí", adverti.

"Que nada", ele riu, "uma história não vale por si, mas pela forma como é contada. A mesma trama pode ser ótima ou péssima, qualquer falha ou omissão podem ser fatais para o seu entendimento.

Todos os detalhes interessam, mas não devem desviar a atenção do ouvinte para ações marginais que não sirvam ao desenvolvimento da história. Palavra tem que puxar palavra, para levar o ouvinte à próxima frase, ao parágrafo seguinte, para mantê-lo hipnotizado com aqueles ritmos e aquelas cadências que conduzem o fluxo de informações", ele falava e eu me lembrava dos ensinamentos de Gabriel García Márquez sobre a arte de hipnotizar o leitor.

As narrativas de Jonas eram caudalosas, pródigas de adjetivos, que ele dizia com a boca cheia, caprichando nas entonações. Eram eles que davam o ritmo da narração, que colocavam o ouvinte no ambiente da ação, que davam cores, volumes e formas aos personagens e cenários.

Todo mundo que escreve, sabe. A maioria absoluta dos adjetivos, e principalmente dos advérbios de modo, é desnecessária e deve ser evitada, porque levam à imprecisão e ao lugar-comum; são sinais de pobreza de linguagem. Para ser eficiente, para provocar emoções, a escrita deve ser seca, substantiva e precisa. Felizmente Jonas não escrevia e não sabia disso.

Quando reencontrei Jonas, ele estava começando a contar para um grupo de franceses a sua terceira história da tarde, sobre um rapaz que estava em uma grande rebordosa amorosa e, no desespero, vai a um terreiro de candomblé e recebe um santo, sem querer.

Peguei carona na história que ele contava em francês fluente e forte sotaque baiano, sobre "*le cheval de saint*". Os gringos estavam fascinados com as descrições dos rituais e dos terreiros. As mulheres se comoviam com o desespero de paixão e com o abandono que o levara ao terreiro; todas adorariam ter um homem tão apaixonado.

No final, Jonas foi aplaudido, recolheu a grana e veio para a minha mesa:

"Como é que vai o livro?"

"Estou ralando, mas agora está fluindo melhor, suas histórias são uma grande inspiração, despertam a minha criatividade."

"Quem me contou essa história foi minha mãe. Aconteceu com um primo dela, e misturei tudo com uma combinação de várias rebordosas amorosas por que passei. Você é um homem experiente, sabe do que eu falo."

Depois que escrevi a história do cavalo de santo, e pior, ou melhor, fiquei muito contente e satisfeito, a situação chegou a um ponto moralmente insustentável.

Jonas me recebeu com um sorriso que, talvez pela culpa, imaginei irônico, mas nada muito diferente das outras vezes. Convidei-o para a cerveja e entrei no assunto. Contei-lhe que estava escrevendo os contos com as histórias dele. Mas que estava disposto a pagar, não vinte reais, mas o preço justo, de mercado: metade do que havia recebido como adiantamento da editora, 20 mil reais.

Ele ficou estupefato. Parecia ter levado um soco. Sacudiu a cabeça como quem acorda; depois abriu um sorriso e se levantou para me dar um abraço.

Preenchi um cheque de 10 mil reais, que parecia de uma concretude grosseira naquele ambiente paradisíaco, e o entreguei a Jonas, prometendo a outra parte depois de mais algumas histórias, e ele ficou muito feliz e emocionado.

E me contou várias histórias ótimas.

Assim se passou a minha temporada de verão em Boipeba, ouvindo as histórias de Jonas e as transformando em contos. Mas mesmo lhe pagando o que considerava justo, e ele estava muito grato por isso, eu continuava atormentado com questões de consciência sobre a autoria dos contos. Cheguei a pensar em lhe oferecer um crédito na folha de rosto, um "com a colaboração de", que achei meio ridículo. E até mesmo uma coautoria na capa do livro, mas achei um pouco demais. Só contadas, as histórias não eram nada; afinal, eu havia lhes dado uma forma literária, como muitos escritores que se baseiam em lendas, mitos, causos e histórias contadas por outras pessoas. Vale o escrito, como no jogo do bicho. O que seria de Isabel Allende sem a sua *abuelita* contadora de histórias de espíritos? E de Paulo Coelho sem seus livrinhos de lendas árabes? Eu, ao menos, estava pagando.

As histórias de Jonas acabaram mesmo despertando a minha criatividade e, como mulheres aparentemente estéreis que engravidam depois de adotar uma criança, consegui escrever três histórias originais, usando minha memória e a imaginação para criar personagens e situações baseados em pessoas reais, algumas até bem próximas, no estilo de meu herói "Harry", desconstruído por Woody Allen.

Com o livro pronto, paguei a parte final a Jonas, tomamos uma última cerveja e nos despedimos com um longo e emocionado abraço. Dei-lhe meus telefones e pedi que me ligasse para qualquer coisa que precisasse. Qualquer coisa mesmo, enfatizei, e ele não deu bola:

"Tudo que eu preciso — inclusive os remédios, que tem no posto de saúde — está aqui em Boipeba", e disse que se quisesse falar com ele, se precisasse de mais alguma história, deixasse recado na pizzaria, que ele ligaria de volta.

Foi a última vez que falei com ele. Três meses depois, às vésperas do lançamento de meu livro de contos, recebi um telefonema da Pizzaria Verona e nem precisei ouvir o que a garota falaria. A melhor forma de homenageá-lo não seria lhe dar crédito no livro, mas contar a sua história.

markgraph

Rua Aguiar Moreira, 386 - Bonsucesso
Tel.: (21) 3868-5802 Fax: (21) 2270-9656
e-mail: markgraph@domain.com.br
Rio de Janeiro - RJ